世界は笑う

ケラリーノ・サンドロヴィッチ

目次

世界は笑う 1

あとがき 264

上演記録 268

世界は笑う

登場人物（登場順）

秋野撫子（19）…三角座の踊り子
大和錦（20代前半）…撫子の兄。三角座の若手俳優
麻薬売人
有谷是也（あれやこれや）（20代前半）…本名米田助造。三角座の若手俳優
青木単一（アオタン）（60代）…往年の喜劇俳優
斉藤（40代前半）…日本テレビのプロデューサー
根岸（20代後半）…同・アシスタント・ディレクター
山吹トリコ（30代）…三角座の女優
川端康成（58）
傷痍軍人（30代）
電器屋の店主
米田彦造（20代前半）…助造（有谷是也）の兄。三角座に裏方で入る
洋服屋の店員A
洋服屋の店員B
貸本屋を訪れる男…万引き犯
鈴木初子（40代前半）…三角座の雑務手伝い。貸本屋店員
貸本屋の女将（60代前半）
マルさん…ラーメン屋「東々亭（トントンてい）」の店主
貸本屋の客
洋服屋の店長
多々見鰯（たたみいわし）（32）…三角座の看板俳優。肺結核で入院していた
山屋トーキー（50代後半）…三角座の古株俳優
野本ケッパチ（20代後半）…三角座の中堅俳優
服部ネジ子（50代前半）…三角座の古株俳優
ママ（40代後半）…座長の妻。三角座の運営を任されている
森南国（32）…三角座の看板俳優

撫子似の女
居酒屋の女将

蛇之目秀子（60代前半）…蛇之目興業の
　女主。座長の前妻
座長（50代後半）…芸名鶴田万角
記者
記者のアシスタント
バーテンダー
旅館の番頭
多々見走
医師
介助人A
介助人B
会社員A（部長）
会社員B（田端）
会社員C（清水）
店の女
ホステスA
ホステスB
スター俳優
是也似の男

■時――昭和三十二年（一九五七年）秋から昭和三十四年秋まで

■構成――

プロローグ：深夜の東京・新宿の街
大オープニング：マッピングとステージングによるキャスト紹介
第一場：昼さがりの新宿の街
幕間１：転換のための幕間。ステージングと歌
第二場・第三場：三光町（現在のゴールデン街付近）に建てられた三角座の常打小屋
第四場：地方の高級旅館
幕間２：転換のための幕間。彦造が初子に宛てた手紙
エピローグ：夜の新宿の裏町

舞台セットも、衣裳も、演技も、ステージングも、当時の時代考証をことさら厳密に施す必要はない。観客の多くに「こんな風だったのかもな」と思わせられればそれで良い。

プロローグ

字幕。「昭和三十二年　秋」「東京　新宿」
深夜の新宿の裏通りである。
店は閉まり、ネオンは消え、暗い。空に浮かぶ月の明かりだけが地上を照らしている。
遠くで犬が吠えている。
秋野撫子が現れる。しばし、人を探すような様子。
不意に、兄の大和錦の声がする。

大和（声）　誰探してんだよ。
撫子　（ドキリとして）⁉
大和　（姿を現して）誰探してんだよ……。
撫子　探してないわよ誰も。
大和　ほお。だったら帰ろう。明日マチネーだぞ。ズベ公じゃあるまいし、こんな時間に嫁入り前の娘が一人っきりで
撫子　（遮って）わかってるわもう沢山。尾けて来たの？
大和　待ち合わせか？

撫子　尾けて来たの？
大和　待ち合わせ？
撫子　……尾けて来たの？
大和　（同時に）待ち合わせ？
撫子　……尾けて来たの？
大和　（同時に）待ち合わせ？（楽しい）
撫子　（真顔で）面白くないわちっとも。
大和　（楽しいまま）面白がれる奴もいれば面白がれない奴もいるんだよ。ガレル&ガレナイだ。
撫子　お兄ちゃんて思いついたことすべて言ってみるわよね。
大和　一応な。バカ、言わないことだってあるよ。
撫子　（「なんなんだ」というように、思わず苦笑）
大和　よし笑った。帰るぞほら。（手を引く）
撫子　（振りほどいて）先に帰ってて。じきに帰るから。
大和　（ピシャリと）あいつはやめとけ。
撫子　……。
大和　やめとけと言われるとなおさら惹かれてしまうってのはわかった上で言ってる。やめ

撫子　とけ。
大和　（うんざりだとばかりに）……。
　周り見てみろよ。冷静になって見てみろ。喜劇の役者なんかと一緒になって幸せになった女がいるか？
撫子　いるでしょう。
大和　いるでしょうけど少ないでしょう。
撫子　ふーん、だったらお兄ちゃんのお嫁さんになる人も不幸せね。
大和　それは仕方ない。
撫子　だったらあたしだって（仕方ない）
大和　（遮って強く）おまえのことは幸せにするって約束したんだよ、しちゃったの約束天国の父上に！　＆母上に！　十二歳だったけなげな兄は！
撫子　何べんも伺いました。
大和　死んじゃったからもう撤回できないだろ⁉（空に向かって同意を求め）ねえ！（撫子に）文句があるならＢ29を操縦してたロジャーさんに言え！
撫子　ロジャーさん？
大和　仮名。
撫子　（「？」となって）……仮名って――
大和　適当に言ったの！　いちいち考えるな！　感性で受け止めろ！
撫子　……。

大和　早く帰って寝ないとまた楽屋でウトウトして出トチるぞ。（と再び手を引く）
撫子　（再び振り払って）だから出トチってないの。ギリッギリ間に合ったの。
大和　だってトリコの姐さんがブツブツ言ってたぞ⁉　フリも合ってないって。
撫子　よく言うわ。姐さんの方が好き勝手に踊ってんのよ。お兄ちゃんこそ台詞入ってるの？　今日変更になったとこ。
大和　あすこな。そうなんだよ。台詞は入ったけどもうちょぃと自分の中に落とさないとな……。
撫子　（反論されず受け止められてしまって）……。
大和　どう思うおまえ、客観的にみてあの変更。
撫子　え……。
大和　悪かないけどお客笑いづらくなりゃしないかな？　一旦神妙な空気になるだろ？　太陽族だプレスリーだって件りの前。まあそこは俺が頑張れって話か……よし頑張る。寝る前にもう少しさらっとく。
撫子　（その兄をしみじみと見て）あたしお兄ちゃんみたいに真険になれない……。
大和　……。
撫子　うん……。
大和　楽しくないのかやってて。
撫子　楽しいけど。お兄ちゃんみたいに夢中にはなれてない……。
大和　なれよ。

撫子　なれない。
大和　決めてかかるな。なれるよ。バカなんだから。バカは夢中になりやすいんだ。実際是也に夢中になってるだろ？　バカだから夢中になる対象を間違えてしまうんだ。
撫子　……。
大和　うん……。
撫子　帰ろっか今日は。
大和　（微笑んで）よし帰ろう。「バカ兄妹帰路に着く」だ。

二人、歩き出す。
少し前から断続的にチャルメラのラッパが聞こえていた。

大和　腹減ったな。減ってない？
撫子　減ってない。
大和　ラーメン食ってくか。
撫子　食ってく。
大和　なんだよ。（笑う）
撫子　（少し笑う）

二人、去った。

ややあって、厚化粧したオカマの麻薬売人が姿を現す。

売人　（出てきた方に向かって）行ったわよ。お兄さん、帰ったわよお仲間。（返事がない）なに寝ちゃったの……⁉　お兄さん。（石を拾い、投げて）お兄さん。

「痛っ！」と声がして、眠たそうな是也が姿を現す。
酒に酔っているように見える。

是也　起きてるよ……岩を投げることねえじゃねえか……。
売人　寝てるんだもの。石よ、岩じゃなくて。キングコングじゃないんだから。
是也　帰ったかい。
売人　だから帰ったわよ、お兄さんと一緒に。
是也　俺と⁉
売人　あんたじゃないわよ、あんたここにいるじゃない。大丈夫？　本当のお兄様が追っかけていらしって連れて帰ったの。
是也　ああ大和兄さんか。
売人　大和か武蔵か知らないけど。
是也　そりゃごくろうなこって。
売人　あんたとの恋愛は反対だって。妹さんゴネてたわ。

是也　恋愛なんかじゃねえよ……どうでもいい。どうでもようござんす。

是也、よろめいて倒れる。

売人　(かけ寄って) 大丈夫？
是也　それで……なにしてんだ俺はここで。
売人　しっかりしてよ。お酒臭い……。

売人、紐で縛った紙包みを是也に差し出す。

売人　はい、注射器割っちまったんだろ、新しいのと、アンプルいつもと同じだけ入ってるから。
是也　(受け取って) 金は？　俺もう払ったっけ？
売人　(実はもらっているが) ……まだもらってないわよ、やぁね。
是也　(ポケットから札を何枚か出して払う) ほら。
売人　毎度。ちょいと負けたげるわよ、特別に。(と札を一枚返す)
是也　なにが特別だい。
売人　え……月が綺麗だし、お兄さん似てるのよ、あたしの中学の時の国語の先生に。ちょいといい男だったのよ、教師の免状持ってなかったみたいだけど。代用教員っていうの？

是也　戦前の話？

売人　なんでよ！　二十五よあたし！　心外！

是也　オカマの歳はわかんねえよ……！

売人　フン……辻先生。辻清貴先生。

是也　いいよどうでも。

売人　辻先生もヒロポン中毒でね。よく薬局に買いに行かされたわ……。あの頃は「気分爽快眠気一掃、職場に家庭にヒロポンを」なんて広告読んでみぃんな飲んでたのにさ……。（腐すように）覚醒剤取締法。で今度は売春防止法。なんでもかんでもやめさせりゃいいと思ってるのよお国は。そのうちオカマ防止法なんてのが

是也　（かぶせて不意に）防止防止法。

売人　なぁに？

是也　防止防止法。面白いかもな。政府がうっかり防止防止法を出しちゃって、結果なぁんにも防止できなくなっちゃうんだよ……オチは、国が滅びて暗転。

売人　なに、いやよそんなの……！

是也　日本の話にするとうるせえから架空の国の話でいいか……。

売人　（一瞬考えて）あ、お芝居？　お芝居のアイディーア？　ボウシボウシ法って帽子防止法かと思ったら防止防止法ね……。

是也　（何か考えている）……。

売人　……じゃああたし行くわね。やり過ぎには注意よお兄さん、ヨイヨイならともかく死んじゃったらもうやれないんだからね。

是也　え？　ああ。あれ、俺金払ったっけ？

売人　……。

是也　……。

売人　まだ。もらってない。

是也　（ポケットを探り）あれ……⁉　あれ百円しかねえや。どっかで落としたか俺⁉

売人　いいわよ……。

是也　なにが……。

売人　いいお金は。

是也　（さすがに驚いて）金とらねえの⁉

売人　特別よ。今日だけ。おやすみ。

売人、去って行った。
是也、一人残される。
包みを乱暴に開け、注射器に吸い取ったヒロポンを打ちながら歌を口ずさむ。

是也　♪ケ・セラ・セラ　なるようになるわ　先のことなど　わからない……
（ふと歌をやめる）

短い間。

遠くで犬が吠えている。以下の台詞の中、ずっと――。

是也　売人が……ヒロポンの売人がひどい商売ベタで、売れば売るほど貧乏に……いやもうひとつか……（と少し考えて）ヒロポンの売人がとんでもない道徳家で、やり過ぎはよくねえって言って……いや……ヒロポンなんかやるのは言語道断だって言って――広がらねえか……ヒロポンの売人のあだ名がヒロポンで――ちくしょもっと広がらねえや……オカマのヒロポンの売人がオカマの麻薬取締官と恋愛をして……だけど取締官のオカマの兄貴がその恋愛に反対して……（犬に大声で強く）うるせえ！　邪魔すんじゃねえ！　今後世に残る名作コントが生まれようとしてるんだ！（犬が別のトーンでひと鳴きする）なんだと⁉　貴様俺を誰だと思ってる！　有谷是也様だぞ！　泣く子も黙る三角座の有谷是也様だ！（犬が再び別のトーンでひと鳴き）そうだよ……たしかに今はまだ知らねえだろうけど……来年の今頃には俺を見たいって奴が日本中から押し寄せるさ！　おい聞いてるのか⁉　覚えとけよ！（犬、ひと鳴き）笑いでおまんまが食えるかだって？　決まってんじゃねえか！　知らねえなら教えてやるよ！人間を心底救うことができるのは、この世の中で笑いだけなんだ！　笑いだけなんだよ！　俺は笑いのためならなんだってやってやるぞ！　戦争だって、色恋だって、天皇陛下だって、俺の死に様だって、なんだって笑いに変えてやる！　笑っちゃいけねえことなんてねえんだ！　俺から目を離すなよ！　俺を見て日本中が大笑いするんだ！　いや足らねえ！　俺を見て――この俺様を見て、世界中が笑うんだ！

音楽。

是也の姿消え、第一場への転換及びキャスト紹介を兼ねた、新宿の街の風景の素描が展開される。

舞台奥の方には石油缶もしくは小さめのドラム缶で焚き火をしている者、赤色の公衆電話で電話している者、白い軍の病衣に戦闘帽を被った傷痍軍人（片足が義足である）が見える。ラーメン屋の出前（自転車）や、パチンコ屋の看板を掲げたサンドイッチマンが通り過ぎる。

人々、音楽（及びS.E.）のカットアウト及び照明のカットチェンジと同時にフリーズし、再びの照明変化と同時に動き出す。

第一場

昼さがりである。

流れる音楽と喧騒。

上手には喫茶店、洋服を売る店（ショーウインドウの中では洒落た服装の男女二体のマネキン人形がポーズをとっている）、下手には三、四台のテレビ（当然ながらまだモノクロの番組が映っている）を店頭に陳列した電器店（「電気釜」「電気洗濯機」等の広告も）、貸本屋などが並ぶ。
三、四台のテレビのうち二台、もしくは三台には、演芸番組が映し出されている。（今映っているのは日本テレビ「お昼の演芸」の脱線トリオ。コントである）
粗末な服を着、大きな風呂敷を背負ってその演芸番組を見つめている老年の男、青木単一（通称アオタン）。テレビの音声はまったく聞こえない。

青木　（しばらく観ていたが）……フン……いい気になってんじゃねえぞ小僧共……まったくなっちゃいねえよ……からっきし駄目だそんなんじゃ……。待ってろ、すぐに追い越してやっから……。

青木、行こうとした時、昼休みの食事を終えたらしい会社員風の男が二人（斉藤、根岸）、通りかかり、テレビに反応する。

斉藤　キミ、「お昼の演芸」だ。
根岸　脱線トリオですか。
青木　……。

二人、楽しそうにテレビに見入り、ほどなく何度か同じタイミングで笑う。

青木　……。
斉藤　こいつらちぃと下品だけどなかなか愉快だね……。
根岸　ええ。テンポがいいですよ、はずみ具合が。
斉藤　もうすっかりエノケン、ロッパの時代じゃないな……老兵は消え去るのみか……。
根岸　あの人たち見てても、もう痛々しいだけですよ。
斉藤　（テレビを見て笑う）
根岸　（見てなかったのだが、合わせて笑う）おっかしいな……。
青木　（根岸に）どこが。
根岸　はい……？

青木　どこがどうおっかしいの。
根岸　なんですか……？
青木　ツンボかあんた。どこがどうおっかしくて笑ったんですかって聞いてるんだよ。
根岸　……。（と困惑して斉藤の方を見たりして）
青木　そいつに頼らずに言ってみろ。どこがどうおっかしくて笑ったのか。早く。
根岸　（困惑しながら）いや、どこが……
青木　言えねえんじゃねえか……言えるわけがねえよ、今おまえそいつに合わせて笑っただけだもん。
根岸　そんなことありませんよ。
青木　（かぶせて）ありますよそんなこと。昭和生まれの若い奴はみんなそうだよ。根拠がねえ。ヘラヘラヘラヘラなんとなぁく笑うんだ。（テレビを指して）こいつらも楽だな、そんな奴ら相手にしてりゃいいんだから……楽ばっかりしてるからちっとも進歩しねえ。恥ずかしくねえのかねこんなもんに出て……。すぐになくならぁテレビなんて。ったく、ミッタァなくてシャアねぇや！
斉藤　あなた……
青木　なんだよ……。
斉藤　見たことあるな。芸人さんですか？
青木　（内心嬉しく）……（決めゼリフのように、コミカルに）呆れ返っちゃう！（反応を伺う）
斉藤・根岸　（面喰らって）……

青木　（同じく）ミッタァなくてシャアねぇや！（反応を伺う）
斉藤　行こうか。
根岸　行きましょう。
青木　待てよ！　やらせといてなんだ！
根岸　別にやらせては
青木　（遮って）おまえはいい。（斉藤に）あんた。そっちの男。
斉藤　はい？
青木　さっきこいつら指して「こいつら」って言ったろ。
斉藤　言ったかな？
青木　言ったよ⁉「こいつらちぃと下品だけどなかなか愉快だね」何様だあんた。偉そうに。
　　　できるのかあんたにこれが！
斉藤　（苦笑いして）できませんよ。
青木　じゃやってみろ！
斉藤　（むしろ根岸に）できないって言ってるのに。
青木　だろ⁉　ホラ！（テレビ画面を指して）見ろ、簡単なように見えてこいつらは血の滲
　　　むような努力をしてるんだよ！
根岸　さっきあんた「楽ばっかりしてる」って
青木　（遮って）俺はいいんだよ当事者なんだから！　何言ったっていいんだ！
斉藤　（困惑したように苦笑いしながら）誉めたつもりなんですけどねボカぁ。

根岸　（声をやや潜めて）行きましょう。ポン中ですよ。
青木　やってねえよヒロポンなんか！　呆れ返っちゃう！
根岸　なんなんですかそれは。（斉藤に）相手にしない方がいいですよ。
青木　そんなに行きたいなら行けよ。その代わり金貸してくれよ。
根岸　え⁉　何言ってんだ。冗談じゃないよ。
青木　違うよ。百円でいいんだ。中村屋のライスカレーが食いたいんだ。
根岸　違うって何が違うの。忙しいんだよボクらはあんたと違って。（と言い切る前に斉藤が財布を出していることに気づいて）貸すんですか⁉
斉藤　（百円札を一枚出して、根岸に）いいさ百円ぐらい。
青木　（根岸に）そうさ。（と受け取り）よし。
斉藤　（青木に）いや、勉強になりました。今後はたいして可笑しくないもんには迂闊に笑わんよう気をつけましょう。（根岸に）さ、ほんとに行こう。
青木　うん……。

斉藤、根岸、舞台奥の高架下へと向かって歩き出す。
喫茶店の二階を、和装の紳士と腕を組んだ山吹トリコが通りかかる。

トリコ　（斉藤を見つけて）あら！（手を振って）先生。
斉藤　やあ。（手を振り返す）

トリコ、和装の紳士を捨て置くようにして小走りに階下の出入口へと向かい、一旦見えなくなる。和装の紳士も後を行く。

根岸　(斉藤に) どちらさまですか……?
斉藤　三角座の踊り子だよ。
根岸　(知らなくて) 三角座?
斉藤　キミさすがに勉強不足じゃないのか?　この仕事してて。
根岸　すみません。局に来るまでこっちの方 (とトロンボーンを吹く仕草をして) 一筋だったもんで……三角座……。
斉藤　戦前から新宿で小屋を構えている喜劇の劇団だよ。

聞いていた青木、「この仕事?」「局?」と思う。
(店のテレビ画面すべてに「?」の文字が映る)
トリコ、喫茶店の出口から出て来て「先生〜!」と叫ぶと斉藤に抱きつく。

斉藤　(笑って) おやおや、元気だ元気だ。
トリコ　(突如批難めいて) 先生、早くテレビ出してよ!
斉藤　あ、うん、そうね。(と鼻を掻く)

トリコ　鼻掻いてないで出してちょうだいよ。約束したじゃないの。刺し殺すわよ。
斉藤　（笑いながら）刺し殺すはおだやかじゃないね。
トリコ　出してくれないなら他の局に出ちゃうわよ、新しいとこの方が断然イキがいいに決まってるんだから。
斉藤　フジテレビもNETも開局は再来年だよ。
トリコ　再来年⁉　生きちゃいないわよ再来年なんて。（根岸を見て）こんちは。
根岸　こんにちは……。
トリコ　あなたもプロデューサーさん？
根岸　いえ、僕はまだ見習いのディレクターでして……。
斉藤　（トリコに紹介して）根岸くん。（根岸に紹介して）山吹トリコさん。
トリコ　へえ、ディレクターさん。
根岸　見習いですまだ。踊り子さん。
トリコ　いいえ。誰が言ったの？（と斉藤を見て）何度言ったらわかるんですか先生⁉　もう踊り子じゃないの。女優。
斉藤　踊りも踊っとるだろ。
トリコ　あれは先週若い踊り子たちがゴソッとエスケープしちゃったから仕方なしによ。どうしてもって頭下げられて。一時的。本筋じゃないの。そう言ったでしょ？　言ったわよ。言わなかった？　言わなかったか。
斉藤　言ったよ。

トリコ　言ったんじゃないもう！
斉藤　うん。

和装の紳士、少し前に出入口から出て来ていて、やりとりが済むのをじっと待っているような――。

斉藤　（気づいて）あ、失礼。キミ、お待たせしちゃっちゃ――。
和装の紳士　（微笑んで）いや、構わんですよ。
トリコ　構わんて。（斉藤に和装の紳士を紹介して）川端康成先生。
斉藤　（ものすごく驚いて）えっ⁉
トリコ　小説をね、お書きになってるの。
斉藤　もちろん存じ上げてますよ。大家中の大家じゃないか。
根岸　（川端康成に）学生の時分に『獄門島』拝読いたしました。
斉藤　『獄門島』は横溝正史だろ。
根岸　え。
斉藤　えじゃないよ。すみません。（と川端康成に深々と頭を下げ）お会いできて光栄です。
川端康成　（やはり微笑んで）いやいや……。
トリコ　（川端康成に斉藤を紹介して）斉藤先生。日本テレビのプロデューサーさん。
川端康成　ほお、どうも。

青木　！

（すべてのテレビ画面に「！」の文字が映る）

斉藤　しがないテレビ屋です。

トリコ　見習いの森本くん。

根岸　（トリコに）根岸です。

トリコ　根岸くん。根岸くんはどんな番組作りたいの？

斉藤　キミのことはちゃんと考えとくから。行きなさいもう。

トリコ　ほんとよ⁉　ドラマね、バラエチィじゃなくて。本格的なやつよ。いつまでもあんな劇団でくすぶっちゃいられないんだから。

斉藤　本格的ね……。

トリコ　（斉藤を少し離れた所へ引っ張って行き、声を潜めて）来月中に出してくれなかったら奥様に全部（ぜんぶ）話しちゃいますからね……。

斉藤　（やはり声を潜めて）またキミはそういうことを言う……。

トリコ　困るでしょ？

斉藤　大いに困るよ……。

トリコ　だったらちゃんと考えなさい。（川端康成に明るく）お待たせ。ねえ先生スケート行きましょうか。

傷痍軍人がアコーディオンの演奏を始めている。

斉藤・根岸　（川端康成に一礼し口々に）失礼いたします。

トリコ　さよなら。次の舞台もいらしてね先生。ごきげんよう。（川端康成に）ねえ先生スケート、コマ劇場の向かい。

川端康成　構わないけどキミ、今夜も公演だろ？

トリコ　開演してから楽屋入りすりゃいいのよ、出番真ん中へんなんだから。（洋服屋のショーウィンドウを見て）ちょいと見て先生、素敵じゃない？　私こういうのが着てみたかったのよ！（とかなんとか）

トリコ、サッサと店の中へ去って行く。
川端康成、斉藤と根岸に向けて苦笑し、傷痍軍人に施しをやる。

傷痍軍人　（演奏を続けたまま）おありがとうございます……。

電器屋の中から店主が姿を現す。

電器屋の店主　（乱れているテレビ画面を見て）なんだアンテナか？　おい！　一回テレビの電源全部

切れ！

川端康成、洋服屋に入って行く。

同時に、電器屋の店主も店中に戻って行く。

テレビ画面が一勢に砂嵐になる。

斉藤　災難だな天下の川端先生も、あんなのに引っ張り回されて。

根岸　相当なやり手ですねあの踊り子さん。女優さんか。

斉藤　なぁに、本人は発展家のつもりでいるが、一皮むきゃただの田舎女だよ。

根岸　え……。

斉藤　演技はおろか踊りだってロクに踊れやしない。便所の蛾みたいな女だ。

根岸　（あまりの言い様に面喰らって）辛辣だな……。

斉藤　（フッと笑い、ニヤニヤと）女房に関係をバラすって脅してきやがった……。

根岸　奥様？

斉藤　妻子持ちってことにしてあるんだよ、ことさらに入れ込まれちまうと面倒だから。

根岸　ああ……。

斉藤　三角座も若い女の子がゴッソリやめてね……このご時勢、女の裸なしじゃ早晩経営もたちゆかなくなる……あの子も田舎に帰るさ……。さあ、ほんとのほんとに行こう。

根岸　はい。

二人、高架下へ向かって歩き出す。
青木、あたりまえのようにくっついていく。

根岸　（ので）なんですか⁉
青木　斉藤先生これから局の方に戻られるんですか？
斉藤　え……そうですけど。
青木　そうですか。さっきはテレビをくだらねえだの、こんなものすぐになくなるだの、思ってもねえこと言っちまって……いいんですか御一緒して。
根岸　いいわけないでしょう。
青木　なんで。（斉藤に）いいですよね、ちょいとばかし見学するぐらい。
斉藤　それは困るな。
青木　（根岸に）な、ほら。（斉藤に）もちろん今日すぐにテレビに出せなんて、そんな虫のいいことは言いませんよ。様子を見てもらって来週にでも、ここぞって時に――
根岸　（激昂して）何言ってんだじいさん！　いい加減にしろ！
青木　（根岸に）見習いは黙ってろ！（傷痍軍人にいきなり）このニセ傷痍軍人！

傷痍軍人、驚いて演奏をやめる。

青木　フフフ……びっくりして演奏やめやがった……（斉藤に）今朝俺見ちゃったんですよ、この野郎が周り気にしながら小田急の踏み切りヒョイヒョイっと渡ってくとこ。

傷痍軍人　（ギョッとして）いえ、そんなことは……自分は義足ですから――。

青木　（傷痍軍人の軍帽をとってそこらに放る）

傷痍軍人　……。

青木　ほら、取ってこいよヒョイヒョイっと。

傷痍軍人　……。

青木　迂闊だったな。

斉藤　（小声で）今のうちに行こう。

根岸　はい。

青木　壁に耳あり障子に……ん？（黙る）

斉藤・根岸　（行こうとしていたが）？

青木　おまえじゃねえかな……？

根岸　え……。

青木　おまえじゃねえや。格好は同じだけど髭なんか生えてなかったもの。なんだ別の奴だ。

（とサッサと行く）

根岸　謝りなさいよ！

青木　いいんだよ向こうがあれなんだから。

根岸　なんですかあれって……！

などと言いながら、三人、去って行った。

傷痍軍人　……。

高架上を電車が通過して行く。
傷痍軍人、杖（松葉杖）をついて帽子を拾いに歩き出す。
落ちている帽子のすぐ近くに、手書きの地図を手にした米田彦造が現れる。

彦造　（周りの風景を見て）あれ……。

彦造、傷痍軍人が不自由な足で自分の足元近くの帽子を拾おうとしていることに気づき、拾ってやる。

彦造　どうぞ……。
傷痍軍人　恐れ入ります。（受け取る）
彦造　いいえ……あの、少々道をお尋ねしてもよろしいでしょうか……どう歩いても結果この道に出て来てしまって……。
傷痍軍人　は？　はい、お力になりましょう。

彦造　（地図を見せて）これ、手書きの汚ない地図なんですけど。（と地図の一点を指して）ここに行きたいんです。

傷痍軍人　えー、ここですね？（と指す）

彦造　はい。すみません汚なくて。

傷痍軍人　充分ですよ……えーと、郵便局が……

洋服屋のショーウインドウに店員（女性）が現れ、マネキン人形が着ている服を脱がそうとしていた。

彦造・傷痍軍人　（どちらからともなく、そちらを見て）……。

店員、奇妙とも言えるポーズをとっている女性のマネキン人形の腕を動かそうとするが、動かない。仕方なくそのままの状態で服を脱がそうとするが、ままならない。

店員、他の店員を呼ぶような様子で去って行く。

傷痍軍人　……郵便局が……（と言いながら再び地図に視線を転じて）郵便局、ってどこの郵便局だこれは（と地図の向きを変えて）……郵便局なんてこの辺りには——

彦造　そうなんです。（地図上の）ここが（今いる）ここでしょうか？

傷痍軍人　いえ、そこは向こうですね。

彦造　（地図を指して）ここに行きたいんです。こっちがあっち？（と、ある方向を指す）

傷痍軍人　こっちはあっちです。（と別の方向を）

彦造　（混乱して）待ってください。となると、僕が行きたいのもここではなくなってきませんか？

傷痍軍人　（理解できず）どういうことですか？

彦造　（わけがわからず）わかりません……。

傷痍軍人　落ち着いて考えましょう。えーと郵便局が……

洋服屋のショーウィンドウの中に、先ほどの店員が、助人の店員（やはり女性）と共に戻って来る。二人の店員、マネキン人形を傾けたり横にしたりして、先ほどよりずっと激しい奮闘を始める。

彦造・傷痍軍人　……。

奮闘のあまり、マネキンが着ている服が破ける。店員たち、去る。

傷痍軍人　郵便局が……（と言いながら再び地図に視線を転じて）これ、「けき」ってなんでしょう？

彦造　ケーキ屋だと思います。

傷痍軍人　ケーキ屋ですか。平仮名だから……失礼、これは道ですか、文字ですか？
彦造　さあ……。
傷痍軍人　どなたが書かれたんですかこの地図？
彦造　弟です。
傷痍軍人　弟さん。
彦造　急いで書いたようで……。
傷痍軍人　そのようですね……えーと、郵便局が……

二人、ショーウィンドウの方を見る。
なぜか、マネキン人形の四肢と首が一斉にバラバラになる。

彦造・傷痍軍人　！
傷痍軍人　（地図を突っ返して）すみませんがわかりません……！
彦造　これ、地図じゃないのかもしれません……。
傷痍軍人　はい……？
彦造　まいったな……。
傷痍軍人　なんという所に行かれたいんでしょう？
彦造　三角座っていう劇場というか劇団というか劇場なんですけど。
傷痍軍人　（知らなくて）芝居小屋ですか……三角座……聞いたことがあるような気もしますが

彦造　……。
傷痍軍人　弟がそこで役者をやってまして。
彦造　弟さんが……。
傷痍軍人　僕が世話になってたおじさんの工場が閉鎖になって、「田舎だもんで新しい働き口も見つからん」と言ったら、手紙をくれたんです弟が。「座長さんに口をきいてやるから裏方で入らんか」って。「芝居のことなぞ皆目わからん」と返したのですが、「俺だってわからん」と返事が。で、まあ、背に腹は代えられんちゅうことで……。
彦造　よかったですね。
傷痍軍人　ええ、まあ……。
傷痍軍人　なんですか？
彦造　（どこか卑下するように）どうやら喜劇の劇団なんですよ……。
傷痍軍人　結構じゃないですか喜劇。
彦造　喜劇の中でも随分下等な部類に属するものらしく……
傷痍軍人　下等と申しますと——
彦造　弟が送ってきたプログラムというやつをパラパラ眺めただけで「あ、コレはくだらんやつじゃな」というのが一目瞭然でして——
傷痍軍人　結構ではないですかくだらん喜劇。自分大好きです。
彦造　そうですか？　僕はあんまり……。
傷痍軍人　戦時中、喜劇の方たちが前線に慰問に来てくださったことがありました……。

彦造　（眉間に皺を寄せ）戦地にですか？

傷痍軍人　はい。

彦造　一体どういうつもりで？

傷痍軍人　どういう……慰問です。

彦造　明日死ぬかもしれないという時に喜劇なんか見させられて嫌じゃありませんでしたか？

傷痍軍人　いえとんでもない。有難い時間でした。もう、笑って泣いて、素晴らしかった……自分、一生忘れません……。

彦造　笑って泣いて？

傷痍軍人　ええ笑って泣いて。

彦造　笑ってはいいけどなんで泣くんです？

傷痍軍人　え……？

彦造　だって、なんで泣いたんですか？　喜劇ですよね。

傷痍軍人　喜劇です。なんで泣いたんだろう……。

彦造　人情喜劇？

傷痍軍人　いえもうただのくっだらないアチャラカ芝居です。

彦造　そんなもん観てどうして泣くんです。

傷痍軍人　感動してしまったんです、どういうわけか……。

彦造　感動？　戦争の恐怖で気が違ってたんですかね……。

傷痍軍人　いや、正気でした、おそらく……。

彦造　気が違ってる人はみんなそう言うんですよ、自分は正気だって。

傷痍軍人　そうでしょうかね……。

彦造　じゃなかったら他に説明がつかないじゃないですか。気が違ってたんです。

傷痍軍人　たしかに少しはおかしくなってたのかもしれません……異様な興奮でした……兵隊たちは皆笑いに飢えてたんですよ……なのでもう、ドッカンドッカン……

彦造　爆弾ですか。

傷痍軍人　笑いです。エンタツさんもアチャコさんもミス・ワカナさんも、皆さん面白かったんですが、一人飛び抜けて可笑しい役者さんがいましてね……（と思い出し笑いをしながら）「ミッタァなくてシャアねえや！」「呆れ返っちゃう！」（忍び笑い止まらず）

彦造　大丈夫ですか？

傷痍軍人　（まだ笑いながら）申し訳ありません、思い出してしまって。（ポーズをマネて）こぉんな風にして言うんですよその人が。「呆れ返っちゃう！」

彦造　……。

傷痍軍人　自分がやっても可笑しくないんです、あの人がやらないと。

彦造　……。

傷痍軍人　自分の話ばかりしてしまいました……。

彦造　ええ。

傷痍軍人　申し分けありません……。

彦造　……どうしてるんですかね、今その人。

傷痍軍人　その面白い人ですか。どうしてるんでしょうね。名前もわからないし、顔ももう忘れてしまいました。

彦造　それだけ笑っといて……⁉

傷痍軍人　遠かったんです。広ぉい野外舞台で。

彦造　……。

傷痍軍人　兵隊たちは皆、あの日沢山の元気をいただきました。戦う勇気をいただきました。くだらん喜劇はあなたが思うほど下等なものではないと、自分は思います。

この時、鞄を手にした一人の男が現れて貸本屋に向かって行く。

彦造　（男のことは気にせず）戦う勇気なんかもらわなければ、あなたの足はまだくっついてたんじゃないでしょうか……。

男、貸本屋へ入って行く。

傷痍軍人　これは……（と周囲を見、声を潜めて）戦争とは関係ないのです……。麻雀に勝って、うかれて呑んだくれて、雀荘の帰りに酔い潰れて電車の線路で眠ってしまって……昨

彦造　年のことです……。
傷痍軍人　……。
彦造　急にそんな軽蔑した目で見ることないじゃないですか……。
傷痍軍人　……新宿では、便はどこでするのでしょう？
彦造　なんですか……？
傷痍軍人　(腹を押さえて) 便がしたいんです。僕の田舎では所かまわずなので……。
傷痍軍人　便は、そこらへんにしてしまえばよいのではないでしょうか。
彦造　(一段と軽蔑)
傷痍軍人　なんですか……⁉
彦造　さすがに新宿で……（と見回し） この貸本屋さんのはばかりを拝借するのはどうでしょう。
傷痍軍人　よいと思います……。

彦造、貸本屋の前へ行く。

彦造　もう僕の用は済みましたからどうぞ御自由に。
傷痍軍人　わかってます。良い便を。
彦造　……。

彦造、貸本屋の中に入って行った。

傷痍軍人　（ここでようやく、アコーディオンや募金箱が置かれた場所へ戻りながら）（小さく）言うべきじゃなかった……。

貸本屋から、先ほどの鞄を持った一人の男が出て来る。
すぐに店員姿（前掛け程度か）の初子が店から出て来る。

初子　あの、お客様……（声を大きく）お客様。
男　（立ち止まって）僕ですか？
初子　僕です……。
男　なんですか……？
初子　その鞄の中、見せていただけますか……？
男　嫌ですね……。
初子　どうしてですか？　見せてください。
男　プライバシーの侵害です。断固お断りします。

店から貸本屋の女将が出て来る。
傷痍軍人、様子を眺めている。

女将　なにどうしたの初ちゃん。
初子　万引きです。鞄の中。
女将　え……。
初子　見せてくださらないんです、テレパシーがなんだのっておっしゃって。
男　プライバシーです。
女将　ひったくって開けちゃいなよ。
初子　そうします。

しゃにむに鞄に摑みかかった初子を振り払っていきなり走り出す男。

初子　（悲鳴）

男、高架下の方へ逃げて行く。

初子　（大声で傷痍軍人に）捕まえてください！
傷痍軍人　⁉

傷痍軍人、不自由な体で男を捕まえようとするが、男、必死に逃れる。

すぐにラーメン屋（マルさん）が来て男とすれ違う。

初子　マルさん捕まえて！

ラーメン屋　（面喰らって）え⁉

高架上を電車が通過する中、ラーメン屋及び傷痍軍人と男の大乱闘。主にラーメン屋が痛い目に遭っているようにも見えるが、ラーメン屋がおかもちの中のラーメンを男の顔に浴びせる。男は悲鳴をあげながら顔面をおさえてうずくまった。

初子　（ラーメン屋に）ありがとうマルさん。（傷痍軍人に）ありがとうございます。

傷痍軍人　いいえ。お怪我ありませんか？

初子　いえ私は見てただけなので。

マルさん　（息荒く）なんにもわかんないままなかなかな乱闘したけど、何したんだいこいつ。

初子、男の鞄を開けて中のものを地面に落とす。本が二冊。それだけ。

マルさん　万引きかい……。

男　（初子と女将に土下座して）お願いします！　後生ですから警察には突き出さないでください。お願いします！

初子　（「どうしましょう？」と女将を見る）

女将　初ちゃんがお決め。初ちゃんがめっけたんだから。

マルさん　（本を見て）『ステンレスるみちゃん』二巻と五巻……。

初子　（笑顔になって）じゃあ……警察には黙っていてあげます。

男　ありがとうございます！

初子　その代わり切符を買ってください……。

男　買います！　切符？　なんの？

初子　ちょいと待っててください。

初子、男が盗んだ本の汚れを払い、持って店に戻ろうとした時、彦造が出て来る。

初子　あ……。

彦造　（笑顔で）あ、いらした。（初子に）おかげさまで大変スッキリしました。

初子、軽く笑って店の中へ入って行く。

マルさん　（男に）『ステンレスるみちゃん』て少女マンガだろ。変態かいあんた。

男　娘が好きだって言うんで見舞いに持って行ってやろうと……もうじき目が見えなくなっちまうんで……すみません……。

マルさん・女将　……。
彦造　(よくわからず、半分笑顔のまま女将に) どうされたんですか……?
女将　汚してないかい。(便所のこと)
彦造　(女将に) あ、はい。やはり新宿は紙が違いますね。
マルさん　(やや複雑な思いで) 二巻と五巻て、娘さん、もう一巻は読んだの?
男　まだだと思います。
マルさん　だったら一巻と二巻盗んでやれよ。娘さんだって気持ち悪くてしょうがないだろう。
女将　くだらないこと言ってないでチャンそば屋は出前にお行き。
マルさん　見てたでしょ、こいつに浴びせちゃったよ。
男　すみません……お代お払いいたします……。
マルさん　いいよ……。

初子、はずむような足どりで店の中から戻って来る。

初子　(チケットを差し出し) はい。今かかってる演目なら好きな日に入場できますから。
男　(受け取り、見て) 三角座第二七三回公演……
彦造　(「!?」となって傷痍軍人と顔を見合わせる)
初子　(男に) 面白いですよ。一枚三百円です。よろしかったら御家族の分も。
男　ストリップですか?

初子　いえ軽演劇です。

男　あなた女優さん？

初子　（とんでもないというニュアンスで）いいえ私はたまにお手伝いさせていただいてるだけで……主人がここの看板俳優なんです。

女将とマルさんの表情が曇ったように見える。

彦造　御主人が？

初子　今はちょいとお休みを戴いてますけど、きっとじき戻ってきます。本当に面白いんです。ビックリしますよ。軍人さんもいかがですか。お便所借りたお兄さんも。（とチケットを）

彦造　僕、そこで働くんです。

初子　え……？

彦造　三角座。裏方で。（と再び傷痍軍人を見る）

傷痍軍人　（彦造に）よかったですね……。

彦造　はい。（初子に）僕の弟も三角座の看板俳優で……って本人が言ってまして……。

初子　弟さん？

彦造　米田──米田助造です。芸名は有谷是也とかいう──。

初子とマルさん、嬉しそうに顔を見合わせる。

マルさん　あんた是坊の兄貴かい……！

彦造　米田彦造です。お知り合いですか……⁉

マルさん　（男に浴びせたラーメンを示し）このラーメン是坊のだよ。

初子　え、そうなの？

マルさん　そうなの。初ちゃん楽屋に電話一本入れといてくれねえかな、「出前一時間ほど遅れっけど味の方は保障する」て。

初子　いいけど……（と話を戻して）そうか、是也さん看板だって言ったんですか……。

彦造　見栄っ張りなんで……。え、御主人お休みされているというのは、御病気か何かで……？

初子　いえ、ちょいと……。（話題から逃れたいかのように、男に）一枚でよろしいですか？

彦造　……ちょいとどうされたんですか？

初子　兵隊に行ってるんです……。

彦造　兵隊って……（「戦争はもうとうに終わったのに」と、理解できず、マルさんと女将を見る）

女将　初ちゃん。もう帰って来ないよ……。

マルさん　そうだよ、さすがにあきらめた方がいいよ……。

初子　（二人の言葉は受け止めぬとばかりに、男に）一枚でよろしいですか？

男　はあ……十二年間も復員されるのを待ってらっしゃるんですか……。

初子　三百円です。
男　はあ……三角座か……（と財布を出す）

貸本屋の店内から客が出てくる。

貸本屋の客　すみません。
女将　はい。ごめんなさい。

女将、客とともに店の中へ入って行った。

男　三角座っていうのはこの道を――。

とかなんとか言って移動した男、言葉を切っていきなりものすごい速さで逃げて行く。
一同、一瞬ポカンとするが――。

初子　え……？
彦造　……逃げたんじゃないですか？
初子　！　切符！

皆、男の去った方に向かって「切符ドロボー!」とか「誰か捕まえて!」とか「捕まえてくださいその男!」とか叫ぶ。

一同　（行ってしまったようで）……。

マルさん　ふてえ野郎だ……同情して損しちゃったよ……。

初子　（溜息をついて）どうしよう……切符代私がもたないと……。

マルさん　……そこんとこは事情話せば大丈夫なんじゃないの?

彦造　大丈夫でしょう。（傷痍軍人に）ねえ。

傷痍軍人　いや、自分は……。

彦造　（傷痍軍人に）だっておかしいでしょ、持ってかれちゃった切符代を初ちゃんが払うってのは……!

傷痍軍人　そうかもしれませんけど、自分はあれなので……。

マルさん　俺からも座長によく説明しとくよ……。

初子　座長はあれなんですけど奥様が……。

マルさん　ママか……ママな……ママにも一応俺の方からあれしとくけど——。

初子　無駄ですよ。

マルさん　無駄だな。じゃあ俺はそろそろ……。

彦造　え、そろそろどちらへ?

マルさん　どちらへって、店。この先にある東々亭っていうラーメン屋。うまいよ。（初子に）

初子　ね。
マルさん　うーん……
彦造　うまいって言えよ……！
マルさん　本物のラーメン屋さんなんですか。役なのかと思いました。
彦造　（理解できず、傷痍軍人に）何言ってんだいこの若者は。
傷痍軍人　ですから三角座の。（傷痍軍人に）思いませんでした？　役かと。
マルさん　思いませんね、役とは。
傷痍軍人　役って……。
マルさん　時々不思議なことを言うんです。
　（行きながら彦造に）裏方で入るならまたすぐ劇場で会っちゃうな、毎日出前行ってるから。
彦造　はい。楽しみにしています。
マルさん　何を？
初子　（その背に）ありがとうマルさん。
マルさん　はいよ……。初ちゃん。
初子　はい。
マルさん　忘れてると思うけど、電話入れといてよ？
初子　あ、そうだ。（と店の中へ向かおうとして傷痍軍人と彦造に）すみませんでしたお騒がせしてしまって。

傷痍軍人　どういたしまして。
初子　（傷痍軍人の足に今さらながらハッとして）いやだ私、足がそんなことになってる方に
「泥棒を捕まえて」だなんて……！
傷痍軍人　（彦造を気にしつつ）いえ……
初子　ごめんなさい……
傷痍軍人　いえ、たいしてお役に立てず。
彦造　（初子に）気にすることありませんよ。
初子　（一瞬「？」となるが、傷痍軍人に）戦争中はどちらに？
傷痍軍人　満洲です……。
初子　（傷痍軍人を見据えて）大変でしたね……。
彦造　そうでもありません。
初子　はい？
彦造　そうでもないんです。
傷痍軍人　……そうなんです。自分もそろそろ……
彦造　そろそろ何？
傷痍軍人　そろそろ、もう少し人通りの多い通りに移動します。
彦造　その方がいいですよ。
傷痍軍人　……。

傷痍軍人、アコーディオンが置かれた莫蓙の方へ――。

初子　（その背に）どうもすみませんでした。
彦造　（かぶせて）いいんですよ。
初子　（彦造に軽く頭を下げて店に向かう）
彦造　三角座にはしょっちゅう？
初子　はい？
彦造　たまにお手伝いされてるというのは、しょっちゅう？
初子　たまにです。
彦造　ああ。僕はきっと今日から毎日いますから……。
初子　（サラリと）そうですか。
彦造　ええ……米田彦造です。
初子　ええさっき。
彦造　初ちゃんは、何初ちゃんですか？
初子　鈴木初子です。
彦造　鈴木初子さん。覚えました。
初子　そうですか。（軽く一礼して店の中へ入ろうと）
彦造　（その背に）御主人……
初子　はい？

彦造　御主人、きっと戻られますよ……僕はそう思います。
初子　……。
彦造　ええ……。
初子　そう思いますか？
彦造　思います。
初子　（問い詰めるように）本当に？
彦造　本当に。
初子　本当の本当に⁉
彦造　（やや語気弱くなり）本当の本当に……。
初子　戦争が終わってもう十二年ですよ？
彦造　そうですよ……。
初子　「もはや戦後ではない」ってどっかの偉い人が言ったそうです。
彦造　そうですか……。
初子　それでも戻って来ますか主人は？
彦造　（目を見ることができず）来ます……。
初子　どうして目をそらすんですか？
彦造　そらしてません……。
初子　本当ですね？　本当に戻ってくると思うんですね、私の主人は⁉
彦造　思いません。

初子　……。

彦造　すみません、初ちゃんを喜ばせようと思って嘘をつきました……。

短い間。

初子　（思わず笑う）

彦造　すみません……。

初子　いいんですよ……。

彦造　（奥で見ていた傷痍軍人に）なんですか……。

傷痍軍人　いえ……。（歩き出す）

彦造　（冷ややかに）いつもこの辺りをウロウロしてるんですか……？

傷痍軍人　まあ、はい。

傷痍軍人、去る。

彦造　（小さく）じゃあまた会っちゃうな……。（初子に）御主人のこと、不躾な物言いをしてしまって、出過ぎもんでした……。

初子　いいんですよ。私ももう帰ってこないんじゃないかと思ってるんです。

彦造　（露骨に驚き）ええ!?　そうなんですか!?

初子　はい……。
彦造　なんだ！（嬉しい）
初子　わかりませんけど、おそらくは。
彦造　（嬉しいまま）帰って来ませんよ……！
初子　……。
彦造　（表情硬直して）すみません……。
初子　ただ、どうしてもね……もしかしたらって思ってしまうんです……ラジオでたずね人の番組なんかが始まるとついつい……。通りでね、あの人に似合いそうなシャツなんかを見かけると「ああ、これはお金貯めて買っておかなくちゃ」って思ったりして……。芸人ですから着る物も大事でしょ……？
彦造　当然ですよ、御主人だった人なんですから。（慌てて言い直し）御主人なんですから。
初子　私が待ち続けたって誰が困るってわけじゃありませんし……。

洋服屋の店長が店のドアを開け、中からトリコと川端康成が現れる。

洋服屋の店長　ありがとうございました。ぜひまたお待ちいたしております。

トリコは今川端康成に買ってもらったのであろう新しい服を着ている。川端康成は両手一杯に店の手提げ袋を持っている。

トリコ　どう先生、似合う？

川端康成　ああ、グレース・ケリーみたいだよ。

トリコ　グレース・ケリーは嫌いよ。ヘプバーンは？

川端康成　うん、ヘプバーンみたいだよ。

トリコ　モンローは？

川端康成　モンローみたいだよ。

初子　トリコさん。

トリコ　あら。

初子　こんにちは。

トリコ　何してるの店番が道端で。（川端康成に）ほら、劇団手伝ってる、多々見走（かける）の未亡人。

川端康成　ああ、あなたが……（初子に）私はエノケンのカジノフォーリーから昨今のストリップの幕間コントまで、ひと通り浅草新宿を眺めてきましたが、多々見くんはすごかったですね……多々見走多々見鰯の兄弟は……弟さんもなかなかだがお兄さんは戦前の若手ではピカイチだった……まったく、惜しい役者を失くしました。

彦造　……。

初子　（川端に頭を下げ、小さく）ありがとうございます……。

川端康成　いやあ、しかしあなたはまだお若いんだから――

トリコ　（初子に）若かないわよねえ、七つ八つ上だもんあたしの。

初子　……。

トリコ　誰その坊や。ボーイフレンド？

初子　違います。お便所を……。

トリコ　お便所？

初子　店番してたらこの方が——それでお便所を……。

トリコ　お便所を何よ。

彦造　（ややムキになって）お借りしたんですよ。大体おわかりになりませんか聞いてて。

トリコ　（面白がって）何怒ってんのあなた。

彦造　（初子に）どなたですか？

初子　山吹トリコさん。踊り子さんです三角座の。

トリコ　女優です……！

彦造　（トリコに、やはりややムキになって）どっちなんですか……⁉

トリコ　（トリコに、彦造のことを）すみませんなんかこの方……。

初子　だから女優だって言ってるじゃないの……！

彦造　（初子に）女優さんとお爺さん俳優ですか？

初子　いえ、この方は——

トリコ　（大きく笑って）お爺さん俳優って……そうよ、お爺さん俳優。ね。

川端康成　え。

トリコ　坊や時間あるの？　あたしたちと一緒にスケート行かない？

彦造　いえ、僕これから――。
トリコ　いいじゃないの行きましょうよ。
初子　是也さんのお兄さんなんだそうです。今日から裏方で入られるそうで……。
トリコ　へえ。是也の。
彦造　米田彦造です。弟がいつもお世話になってます。どうぞよろしくお願いします。
トリコ　（川端康成に）ほら、この前犬のエサの役やってた子。
川端康成　（よくわからず）ああ……。
彦造　犬のエサの役ですか……？
トリコ　駄目よあの子は。てんでお話にならない。（川端康成に）ね。
川端康成　すまんが憶えとらんね……。
彦造　……。
初子　（彦造を気遣ってか、トリコに）まだ三年目ですから。
彦造　三年もやってて犬のエサの役じゃどうにもならんですね……。
トリコ　どうにもならんわよ。
彦造　……。
トリコ　さ、ほら、スケート行くの行かないの？
彦造　行きます。
トリコ　行くの⁉
初子　行くんですか？

彦造　行きます。

初子　だって、劇場に行くんじゃないんですか？

彦造　電話するんじゃないんですか？

初子　（ハッとして）あ、いけない。ちょいと失礼します。（行こうと）

彦造　（その背に）すみませんけれどラーメンの件と一緒に弟に言伝願えませんか。「ラーメンも遅れるじゃろうけど兄ちゃんはもっと遅れるじゃろう」と。「三時に行くちゅうたがおまえも嘘っこついたんじゃからお互い様じゃい」と。

初子　（方言が覚えられず）もう一回言ってもらっていいですか？

彦造　訛りをそのまんま言う必要はないんです。

初子　ああ。（川端康成とトリコに）すみません失礼いたします。

川端康成　いつか多々見走くんのことは新聞に寄稿したいと思っとるんですよ。かつてこんなにも愉快な男がいたとね。記憶は消えてゆくが、活字は長持ちしますから……。

貸本屋から、先ほどの客が出て去って行く。

初子　（一礼して、行こうとした時、高架の向こうから歩いて来る男を発見して）え……。

彦造　どうしましたか……？

初子　鰯さん……!?

トリコ　え……!?

近づいて来た多々見鰯も彼らのことを認識したようではあるが——。

川端康成　こりゃ驚いた……多々見走の話をしたら多々見鰯が来たよ……。

鰯　（無感動に）あら。誰かと思ったら……。

トリコ　いつ退院したの……⁉

鰯　さっき。

初子　（満面の笑顔で）おかえりなさい！　もうすっかりいいんですか？

鰯　さあ、わかんないですね。あれこれいごいてみねえと。

初子　劇場には⁉　もう顔出したんですか⁉

鰯　劇場ねえ……さてどうしようかね……。

初子　はい……？

トリコ　聞いたわよ座長さんから。手術して肺を取っちゃったってホント？

鰯　取っちゃったよ。

トリコ　でもじゃあどうやって息してんのよ……⁉

鰯　（初子に、トリコのことを）落語に出てくるバカかこいつは。

トリコ　え？

初子　（トリコに）一つ取ってももうひとつ袋ありますから。

鰯　ひとつ袋ってあんたも。

トリコ　（川端に）肺が二つあるのは牛でしょ？
川端康成　牛は胃が四つだよ。
トリコ　四つ⁉
鰯　退院早々具合悪くなってきた。じゃ。（喫茶店を指さして）三年振りのコーシー飲みに来たんだ。
トリコ　お待ちよ、そっけないわねえ、久し振りに会ったたってのに。
川端康成　今ちょうどあなた方の話をしてたところなんですよ。あなたとお兄さんの。つくづく名コンビだったたって。
鰯　（腐すように）いつの話ですか……。
トリコ　（鰯に紹介して）小説を書いてる川端康成先生。
鰯　（かぶせて、強く）いいよ誰だって！
トリコ　（「！」となって）なあに⁉　失礼じゃないの！
川端康成　構わんよ。
トリコ　構うわよ。ちょっと肺を取ったからって病人ヅラしちゃって！
初子　（諫めて）トリコさん。
トリコ　なによ！　鰯さん。あんたが結核だかで病院に閉じ込められてる間に、三角座も世の中も変わったわよ……。（初子に）ストリップに押されて全然お客入んなくなっちゃったしね……。（鰯に）あんたのこと憶えてる客なんかもう誰（だ〜れ）もいないわ……。
初子　そんなことないですよ……待ってるお客さんいっぱいいます。

鰯　（初子に）あんたまだ手伝ってんの？

初子　はい……

鰯　よくもまあ懲りずに。

初子　楽しいですから……。

鰯　座員半分になったって言うじゃねえの。いつだったか見舞いに来たモリカンの奴が言ってたよ。「俺も今日で辞めます」って。（少し笑う）

初子　（トリコに）半分までは減ってませんよね……。

トリコ　半分よ。

鰯　生活ってもんがあるよ、誰にだって……。じゃあ。

トリコ　待ちなさいって。

鰯　コーシーが飲みてえの！　一刻も早くコーシーが！

彦造　こんにちは。米田彦造です。有谷是也の兄です。今日から三角座に裏方で入ります。どうぞよろしくお願いいたします。

鰯　……。

彦造　いつも弟がお世話に

初子　（遮って彦造に）鰯さん御存知ないわ、是也さん入ったの入院された後だから。

鰯　じゃあ。（と喫茶店に入ろうと）

トリコ　待ちなさいって。お金返してよ。

鰯　あ⁉

トリコ　二百円。誰だかのお香典で持ち合わせがないって言ってあんた――

鰯　ああ……。

鰯、財布を出す。先ほどの万引きが持っていた財布である。

初子　（「!?」となって）そのお財布……。

鰯　ほら。（とトリコに百円札二枚差し出す）

トリコ　（ふんだくるように取る）

鰯　（財布に入っていたチケットを見つけて）なんだこれ……（「!?」となって、初子とトリコに）切符だよ、三角座の。

初子　どうされたんですかそのお財布。

鰯　（笑って）こいつは失礼しちまった……お客様からカツアゲしちゃったよ……。

一同　……。

高架上を電車が通過する。
照明変化して、五人の女性によるレビュー風の転換。
初子、トリコ、撫子、洋服屋の二名の女性店員が『ケ・セラ・セラ』を歌い、踊る。

第二場

字幕。「数週間後」

三角座の劇場。客席は桟敷になっており、上手側に枡席。

奥に舞台、下手に花道があり、花道には事務室へ通じるらしいのれんがかかっている。

舞台上手袖は楽屋に通じ、下手は給湯室等に通じるらしい。客席後方下手にはロビーに通じる出入口のドアがある。

ガランとした殺風景な古い劇場である。

第二場、第三場におけるト書き上の「上手」「下手」表記は三角座の劇場内での「上手」「下手」を意味する。


マチネが終わり、二時間弱の後にソアレが始まる時刻。

ステージ上には、昼の公演の名残りを感じさせる書き割りと、ラストシーンかカーテンコールに降らせたのだろう、紙製の雪の小山。

客席に重ねられた座布団に寄りかかって弁当を食べている山屋トーキー（乞食の衣裳）、舞台上で横になっている鰯（楽屋着）。

トーキーの下ネタ話を聞いている大和と野本ケッパチ（共に楽屋着）。ケッパチも弁当を食べている。

トーキー　（笑いまじりに）それがよぉ、その女言うこと言うこと可笑しいんだよ。俺笑いっぱなしだよ、チンコ丸出しで。

大和・ケッパチ　（笑う）

ケッパチ　自分が可笑しいってのは自覚してたんですか、その女は？

トーキー　え、どういうこと？

ケッパチ　兄さんを笑わせようとして言ってたんですか？

トーキー　そうそう。自信満々。異常な状況だよ、密室で素裸の女が素裸の男を何十分も爆笑させ続けてるってのは。

大和・ケッパチ　（笑う）

トーキー　複雑だよ俺の方も。一応俺にだって喜劇人としての意地ってもんがあるからね、いくら相手が女郎だって。

ケッパチ　ですけどその女郎は知らないんですよね、トーキー兄さんが喜劇人だってこと。

トーキー　知らねえだろそりゃ。言わねえもんそんなこといちいち。

大和　（どこかからかうように）言ってやりゃよかったんですよチンコ丸出しで、「おまえ誰を笑わせてると思ってんだ、俺はあの山屋トーキーだぞ」って。チンコ丸出しで。

トーキー　言ったたって知らねえよ。（笑う）

大和　まあそうなんですけど。

トーキー　……おまえが言うなよ。
大和　（反省見えぬまま）すみませんじゃねえよ……。
トーキー　（少し本気で）すみません……。
ケッパチ　（ヘラヘラしながら）謝れよちゃんと。おまえが言うなよ……。
大和　（やはりヘラヘラしながら）謝ってるじゃないですか……。（ボソリと、しかし聞こえるように）本気になるなよそんなことで……。
トーキー　……。

踊り子の衣裳を着た撫子が楽屋の方から来る。

撫子　（そこにいる皆に）是也兄さん知りません？
トーキー　楽屋じゃねえの？
撫子　いないの。お兄ちゃん見なかった？
大和　いいや。
ケッパチ　ああ、そう言やあいつ、マチネーが終わった後に客と待ち合わせしてるって言ってたぜ。
トーキー　客？　女？
ケッパチ　もちろん。ほら、よく来るイタリアンファッションの女知りません？　今日もそこらへん座ってニコリともしなかった女。あいつじゃないかと踏んでるんですよ。

トーキー　イタリアンファッション？
撫子　ケッパチ兄さんに言ったんですか？　待ち合わせしてるって。
ケッパチ　あ？　ああ。
撫子　どういう状況で言ったんですか？
ケッパチ　状況？　状況は――知らねえよ状況は。嘘だもん。（笑う）
撫子　……。

撫子、舞台を降りてロビーへの出入口へ去る。

ケッパチ　（その背に）ごめんごめん、ちょいとからかった。デシコ！　デシコちゃん！
大和　（怒らず、真面目に）からかわないでやってくださいよ……。
ケッパチ　（ヘラヘラと）謝ったじゃない、だから。
大和　あいつ今シャレ通じないんですから。
ケッパチ　だから謝ったじゃない。
トーキー　そうだよ可哀想に。衣裳も着替えねえで捜してるのに。
ケッパチ　兄さんだって衣裳着替えねえで弁当食ってるじゃないですか。
トーキー　俺は面倒臭えからだよ。
ケッパチ　また皺になるって文句言われますよ衣裳部に。
トーキー　乞食の衣裳が皺になって何が困るんだよ。有難がってもらいてえぐらいだ。

ケッパチ　俺には強気だな……。
トーキー　何が……。

ケッパチ、自分の弁当を舞台上に置き、舞台から降りてトーキーに近づきながら

ケッパチ　（からかうように）乞食は何食ってるんですか？
トーキー　（少し隠すようにして）食ってねえよ。
ケッパチ　食ってるじゃないですか。玉子焼き？　筑前煮？

横になっていた鰯がいきなり大声で怒鳴る。

鰯　うるせえ！
一同　（ビクリとして）……。
鰯　寝てんだよ……。
トーキー　悪い。俺があれしたんだよ。悪い。
鰯　聞いてましたよ……。
トーキー　ああそう。
ケッパチ　（顔をこわばらせて）すみません……。
鰯　筑前煮筑前煮わめきやがって……。

ケッパチ　一回だけですよ筑前煮って言ったのは

鰯　（かぶせて）充分だろ一回で⁉　足りない⁉

ケッパチ　足ります……。

鰯　目ぇ覚めちまったよ！

ケッパチ　（頭を下げて）……。

鰯　（全員に）いちいち妙な按配にならないで！　普通にしろ！

一同　（ぎこちなく）……。

鰯　変な普通！　あんたら役者かそれでも？　あ？　普通もできねえで人が笑わせられんの⁉　まずは普通だろ！

花道ののれんから服部ネジ子が来る。

ネジ子　（鰯に）やかましいよ！　何わめき散らしてんだい病みあがりが。

鰯　……すみません。

ネジ子　そんなでっかい声出るなら舞台で出しな。

トーキー　ネジ子ちゃんごめんごめん、俺があれしたんだよ。

ネジ子　（トーキーをチラとは見るが鰯に）まったく。もう片っぽの肺も取っちまうよ。

鰯　それは困ります……。

ネジ子　（トーン変えてやや小声で）今ママがそろばん弾いてんのよ。あんたがギャーギャー騒ぐと集中できなくて計算間違えちゃうだろ。集中してたって間違えちゃうんだから。

同じのれんからママが来る。

ママ　あたしがなんだって？

ネジ子　聞いてるなら言い方変えたのに。

ママ　頭が頭痛で痛い……！

ネジ子　薬飲んだらどうですか、頭が頭痛で痛い時用の。

ママ　（忌々し気に）なかったんですよ胃薬しか……。一応飲んだけど。

ネジ子　……飲まないよりはいいわよ。胃と頭はそう遠くないし、同じ人の体なんだから。

ママ　まあね。

この間にケッパチと大和は客席の出入口からロビーへ出て行こうとしていた。

ママ　なんで行っちゃうのあたしが来ると若者は。

ケッパチ　別にそういうわけじゃ……。

ママ　（舞台上を指して）雪片づけなさいよ！　書き割りも！

ケッパチ　俺ですか？

ママ　誰でもいいよ率先してやりなさいよ！　早く！

大和　俺ちょっと。
ママ　なに。
大和　ちょっと。すみません。（と出て行こうと）
ママ　あんた言った是也に？　ヒロポンやめるように。
大和　はい。
ママ　やめた？
大和　さあ……。
ママ　さあって、言ったってやめなきゃ意味ないじゃないの！　捕まるんだよ今は！　捕まったらあの子の役穴が開くんだよ⁉　やめさせてちょうだい！
大和　俺が言っても……あの新入りから、実の兄貴から言わせた方がいいんじゃないですか？
ママ　そう思う？
大和　思います。ガツンと一発ぶん殴るかなんかして。
ママ　だったらあんたから彦造に言って。ガツンと一発ぶん殴れって。
大和　（今ひとつ歯切れ悪く）言います……。
ママ　言ったってぶん殴らなきゃ意味ないのよ⁉
大和　はい。
ネジ子　ぶん殴ったってやめなきゃ意味ないのよ⁉
ママ　そうそう。さすが。（大和に）頼んだわよ。責任転嫁したわよ。

ネジ子　べつに転嫁じゃないわよママ。
ママ　（大和に）返事。
大和　はい……。

大和、出て行く。

ママ　ほんとに……え？　なにネジ子さん？
ネジ子　転嫁じゃないから。
ママ　テンカ？
鰯　穴なんか開いたっていいんじゃないですか？
ママ　え？
鰯　あんな小僧が開けた穴なんかいくらだって埋まるでしょう。ポン中云々じゃなくて、足引っ張るだけの座員はサッサと首切った方がよかないですかねえ。あのもうろくじいさんも。座長もなんであんな死にぞこない拾ってきちゃうんだろう。みんなそう思ってますよねえ⁉　人がオチの台詞言ってんのに「ミッタァなくてシャアねぇや！」「呆れ返っちゃう！」おめえに呆れ返っちゃうよ。
トーキー　聞こえるぜ楽屋に。気持ちはわからねえでもねえけど、アオタンさん一応大ベテランなんだからさ。エノケンさんにお年玉あげたことあるってんだから。
鰯　ベテランになるほど偉いんだったらどうして脱線トリオなんかが売れてるんですかね。

トーキー　ひがむなよ。俺たちにゃ俺たちの生き方ってもんが（あるよ）

鰯　（遮って）ひがんでねえよ！　俺たち⁉　一緒にすんな！

ネジ子　鰯ちゃん……！

鰯　……。

トーキー　今度飲み屋で話そう。

鰯　いやですよどうせ奢らされるんだから！　金ねえんだよ！

ママ　大声出さないで。頭が頭痛で痛いの！（と腹を押さえる）

ネジ子　そこはお腹。（鰯に）ほらママお腹まで頭痛になってきちゃったわよ。

ママ　（鰯に）座長さんに言って。

鰯　座長に言っても——

ママ　（遮って）知らない！　座長さんに言って！　お芝居のことはわからない！

　　ママ、のれんの奥へと消えた。

鰯　（のれんに向かって）座長さんどこにいるんですか⁉

　　答えはない。

鰯　……。

トーキー　仏蘭西屋でミルクコーヒーじゃねえか？　じき戻ってくるよ……。

鰯　（忌々し気に溜息）

鰯、客席のドアから出て行く。

ケッパチ、書き割りと雪を片づけ終えていて——。

ケッパチ　（劇場の壁時計を見て、誰に言うでもなく）五時十分か……。

ケッパチ、箒と塵取りと食べ終えた弁当箱を持って舞台下手へ去る。

そこにはネジ子とトーキーだけが残った。

短い間。

ネジ子　どうもピリピリしてるねみんな。他人（ひと）のこと言えないけど……。

トーキー　日曜で五分（ぶ）の入りじゃあなぁ……若者は先行き不安にもなろうってもんよ……。でもまぁ、ウチだけじゃないよ。（自分に言い聞かせているようでもある）

ネジ子、座布団を並べ始める。

ネジ子　浅草も六区あたりは軒並駄目みたいね。

トーキー　そうさ。ウチだけじゃないよ……。
ネジ子　日本は発展してるってのに……。
トーキー　してねえよ発展なんか。そう見えるだけだよ。
ネジ子　（トーキーが手伝おうと来るので）あぁいいよ、また最近腰悪いんだろ。
トーキー　（すぐにやめて持っていた座布団を戻し）そうなんだよ……。
ネジ子　（少し笑って）持ってる分ぐらい並べなよ……。
トーキー　え？（再び弁当を食べ始める）
ネジ子　んん。

舞台上手、楽屋の方から闘牛士の格好をした青木が来る。
トーキーとネジ子、口々に「お疲れ様です」と言う。

青木　おう……つべこべつべこべやかましくてしょうがねぇよ楽屋。寝られやしねえ。
トーキー　ハハハ……。
ネジ子　アオタン兄さんお茶でも飲みますか？
青木　（見もせずに）ああ。サンキューベリマッチョ。

ネジ子、舞台下手へ去る。

青木　最近の若いのは細かくていけねぇよ。あいつ、なんてったっけあのボウズ頭。

トーキー　南国ですか。

青木　かな。調子に乗ってないあいつ。

トーキー　そうですかね。ああ見えていい奴ですよ。

青木　どこが。看板ならもっとドンと構えろってんだよ。ちぃとばかし台詞アレしたぐらいでグジグジ言いやがって。

と青木が舞台袖を見ると南国（楽屋着）が来ていた。

南国　ちぃとじゃないでしょう。

青木　（驚き、非常識を非難するかのように）追っかけてきやがったよ……！

南国　（以下、一応敬語ではあるが冷ややかに）ちょいとだけ台詞合わせましょうよ。

青木　いいって。

南国　先生。少しは覚えてくださいよ台詞。「呆れ返っちゃう」だけでコント一本はもちませんよ。

青木　そんな何度も言ってねぇだろ。なんだろうね自分を棚に上げて。呆れ返っちゃう！

「それですよ」という空気になる。

青木　今は言うんだよ。
トーキー　兄さん、お疲れのところすみませんけどほんのちょいと付き合ってやってください。
青木　アドリブはほどほどにってのはこれ、一座の方針ですから。
だからしてるじゃねえかほどほどに。なんだい、いい大人がガタガタガタガタ。ミッタァなくてシャアねえや！

小さなお盆に載せたお茶を持ってネジ子が戻って来る。

トーキー　お願いしますよ、夜の部もあるんですから。
青木　（ネジ子に、悪意ある口調で）俺夜の部出なくちゃいけねえかな？
ネジ子　はい……⁉
青木　夜の部。（トーキーに）帰っちゃ駄目かな。疲れちゃったよ。

短い沈黙。

トーキー　それは勘弁してくださいよ……。
青木　（周囲の困惑を内心、楽しむように）疲れちゃったんだよ。（舞台を下りて客席のドアに向かいながら）しょうがねえよ。こんなじゃかえって迷惑かけちゃうからよ。
トーキー　その格好で帰られるんですか？

青木　格好なんか知ったこっちゃねえよ。座長に言っといてくれよ。「可哀想にアオタンはボウズ頭にいじめられて疲れ果てちゃったんで帰りました」って。
南国　調子に乗んのもいい加減にしろクソジジイ！
青木　（すごんで）なんだよ！
南国　（トーン変わって）もう二度と疲れねえようにしてやるよ。
トーキー　（嗜めるように）おい南国！
ネジ子　（同じく）よしなさいよ南国ちゃん、あんたはすぐ……！

笑顔の彦造が小道具を入れたカゴを持って舞台袖から来る。

彦造　お疲れ様です。
南国　（懐から短刀を出して）あれ、なんだこりゃ。こんなもんが入ってら。（と抜く）よせ南国、今度は一週間じゃ済まねえぞ。
トーキー　なんだおまえ、ボウズ、青木単一にそんなもん向けて、業界で生きて行けなくなりてえか、あ!?
青木　（無言でスーッと青木に近づいて刺そうとする）
南国　（かろうじてよけて、打って変わってひどく動揺を見せながら）よせよ……！　あ、そうか太陽族かおまえ……!?　しょうがねえよ太陽族じゃ。ちょいとつきあってやるよ、楽屋行こう。

南国　脈絡がねえんだよあんたの言ってることは……。
青木　ミャクリャク……⁉　何言ってんの⁉
ネジ子　よしなさいよ。
南国　脈絡がねえ人間にはちょうどいい死に方ですよ、自分じゃなんだかわかんねえうちに刺されて死んじまうってのは！（向かって行く）
青木　（すんでのところでかわし）ひっ！
ネジ子　（一喝して）やめろってのがわかんないのかい！

沈黙。

南国　……。
青木　叱られてやんの。

とたんに南国、青木に摑みかかり、馬乗りになって、相手を弄ぶように、顔ギリギリの位置に短刀を突き立てる。

青木　ひぃぃぃぃぃっ！
トーキー・ネジ子　南国（ちゃん）！
彦造　（平常心で）南国兄さん。

南国　あ……？
彦造　すみませんそろそろそれ（短刀のこと）。
ネジ子　（それまでが芝居だったかのように）なんだい、いいとこで。
トーキー　ん？
彦造　（ネジ子の言葉に）すみません。まだお使いになるならあれですけど……まだ稽古されますか？
ネジ子　いいわよもう。

南国、青木に提示するように、掌で短刀の刃を出したり引っ込めたりする。

青木　え……！

南国、「ホラ」と言ってオモチャの短刀を彦造に渡す。

彦造　（受け取ったものの、青木の反応に）すみません、一応、終わるたんびに回収しろと座長さんに言われてて……。
南国　持ってけよ。
彦造　はい。（カゴに入れる）
トーキー　（ホッとして、ネジ子に）なんだい小道具かい……。

ネジ子　（舞台の一角を指し）あんたさっきもそこで刺されてたじゃないの。
トーキー　ああそうか……。

　　青木、ようやく立ち上がり、ふらつきながら数歩歩いた後、立ったまま小便を漏らす。
　　ビチャビチャと音がする。

彦造　わっ。（ややあってから、皆に）小便してます！（青木に）アオタン先生、ここはばかりじゃないですよ！　はばかり向こうです！
南国　（笑い出す）
青木　（自分がし終えた小便だらけの床にへタリ込む）
彦造　わああ！　なにしてるんですか！　汚ないですよ先生！　ちっとも面白くないですよそんなの！
南国　（笑いながら）ミッタァなくてシャアねえや！

　　南国、楽屋の方（上手袖）へと去って行く。

彦造　え……？
トーキー　（青木の方へ行き）お怪我ありませんか……？（と言いながらも一定以上近づかず）
青木　……なめやがって。

トーキー　勘弁してやってください。ほんのシャレですよ。
青木　シャレで済むかよ！　クビだあんな奴！　座長呼べ座長！
ネジ子　どっか行ってますよ。
青木　どっかぁ？
ネジ子　アオタンさん。
青木　あ？
ネジ子　（強い口調で）みんな必死なんだ、ちゃんとやっとくれよ……！
青木　（気圧されて）……やるよ……。
ネジ子　じゃないとそのうち本当に刺されますよ誰かに……。
青木　……。
ネジ子　あたしらここで笑いと心中するしかないんだ……あんたも泥船に乗ったんですよ……。
青木　ちゃんとやるって言ってんだろ。必死なんだ俺だって！

青木、楽屋の方へと去ろうとする。

ネジ子　衣裳、脱いで自分で洗ってくださいよ。初子ちゃんは無料（タダ）働きなんだから。
彦造　（強く）そうですよ！
青木　（振り向かず）ああ……。

青木、去った。

彦造　（床に溜った小便を指して）どういうつもりですかね、劇場の床に。ちっとも面白くありませんよ……。

ネジ子　彦坊。

彦造　はい。

ネジ子　（小便を）拭いときな。

彦造　（表情を歪めて）ええ⁉

ネジ子　（キツく）ええってなんだい。

彦造　はい……。あの、もしかしてさっきの、稽古じゃなかったんですか？

ネジ子　稽古だよ。そんなことよりおまえさん本番中調光で笑い過ぎ。（と調光室があるだろう方向を指す）

彦造　すみません。面白いから。

ネジ子　何べん観てるのよ。

彦造　何べん観ても面白いんですよ。

ネジ子　……。（と再び弁当を食べ始めているトーキーを見、二人で笑う）

彦造　初ちゃんがどこがどういう風に面白いか教えてくれるんです……。初ちゃんアイロンがけですか？

ネジ子　知らないよ。

彦造　アイロンがけだな……。（ネジ子に）あまり笑わないように気をつけます。

彦造、舞台に上って舞台袖へと去る。

ネジ子　物を知らないってのは強いね……。
トーキー　弟もあんなだったろ、入った時は。
ネジ子　そうだったかね……。
トーキー　そうだよ。アオタンさんのお茶もらうよ。（と湯飲み茶碗を）
ネジ子　おいしくないよ。一番安いやつで淹れたから。
トーキー　ネジ子ちゃん。

二人、笑う。

トーキー　どれどれ（アオタンのお茶を飲んで）ホントだ……。
ネジ子　（笑う）
トーキー　（再び弁当を食べ始めながら）……入ったばかりの頃是坊をストリップに連れてってさ。
ネジ子　へえ。（小便を踏みそうになって）あっ……！（と危ういところでかわす）
トーキー　そしたらあいつ、興奮しちゃって耳から血を出したんだよ。普通鼻血だろ？　耳血出してやがんのよ。（笑う）

ネジ子　そんなにいいかねぇ女の裸踊りが……。
トーキー　え？
ネジ子　ストリップに客取られてるって言うけど。
トーキー　あんなにいいもんねえよ。女の裸は。
ネジ子　ふぅん……。
トーキー　素晴らしいよ。（一つひとつイメージして）おっぱい。尻。ヘソ。ヘソの下の方。ヘソの下の方の
ネジ子　（遮って）わかったよもう。
トーキー　しかし、最高の女の裸も最高の笑いには負けるな……。
ネジ子　はぁ……ってことは最高に笑える女の裸が一番いいんだ。
トーキー　（イメージしながら）最高に笑える女の裸はさほど良くねえな……なんでかね。（ハタと）さっきもあいつらとさ、大笑いしながらのセックスはどう頑張ってもできねえよなって話になってさ。一体全体どうして両立できねえのかって
ネジ子　（遮って）どうでもいいよ。いつまで弁当食べてんのよあんた。
トーキー　いつまでって食い終わるまでだよ。食い終わらねえんだまずいから。醤油も塩も切らしててよ。誰も貸してくれねえんだアパートの連中。俺が返さねえの知ってるから。
ネジ子　（少し笑う）
沈黙。

ネジ子　お茶入れてこようか、一番高いやつで。
トーキー　いいよいいよ……（しみじみと）ネジ子ちゃんの作ってくれてた弁当は美味かったなぁ……。
ネジ子　（ドライに）たいしたもん入れてなかったわよ……美化してんのよあんたの記憶さんが。
トーキー　いや美味かったよ、抜群だった。味つけだな……青春の味つけだよ。
ネジ子　あの頃のあんたは面白かったのにねぇ……。
トーキー　そうだねぇ……たしかにあの頃の俺は面白かった、オイオイオイ！　オイ！（少し笑う）
ネジ子　（批評の眼差しで）……。
トーキー　なんだよ……。
ネジ子　長いのよオトすまでが。間が昔の間尺なのよ。トーキーさん全部そう。
トーキー　え……。
ネジ子　オイってのも一回でいい。
トーキー　いいよダメ出しは。
ネジ子　もう一ぺん。
トーキー　え……。
ネジ子　（もう一回やって）「あの頃のあんたは面白かったのにねぇ……。」

トーキー　そうだねぇ……たしかにオイ!

ネジ子　六十五点。

トーキー　厳しいね……。あの頃はおまえさんの出番が終わるたんびに俺がダメ出しを（して）

ネジ子　（遮って、少しだけ笑いながら）いいよもう昔の話は。

トーキー　……若い奴らの前ではやめろよ?

ネジ子　何を。

トーキー　だからダメ出し。

ネジ子　わかってるよ……。

トーキー　うん……（とネジ子から視線をはずして）面白かったかね俺、昔。

ネジ子　面白かったよ。ひっくり返るぐらい。わかってんだろ自分で。

トーキー　そうかい。面白かったかい。だったらもうそれで充分かな……一生面白くねえまま死んでく奴いっぱいいいるからな……。

ネジ子　あんたはそうやって下を見て満足するから……。

トーキー　上なんか見ちゃったら死にたくなっちゃうよ。

ネジ子　面白いよ山屋トーキーは。まだまだ。

ネジ子、楽屋の方へ去る。

トーキー　……。

トーキーがまだ食べ終わらない弁当を片づける中、水を入れたバケツと乾いた雑巾数枚を手にした彦造が、下手袖から戻って来る。

彦造　(嬉しそうに) やっぱりアイロンがけでした……。
トーキー　何が。
彦造　初ちゃん。初子ちゃん。
トーキー　ああ。初子ちゃんて、あの人おまえのおふくろの齢だぜ。
彦造　(不機嫌になって) だからなんです?
トーキー　なんだってわけでもねえけどよ……。
彦造　(ややムキになって) おふくろってことはないですよ。だぁいぶ年上の姉ちゃんぐらいです。
トーキー　(笑って) なにムキんなってんだよ。あの人におまえをヒモにする経済力はねえぞ?
彦造　ヒモ?
トーキー　(呆れて) わかんねえのかおまえヒモ。(腰を押さえて) イテテ……今度ストリップ連れてってやるよ。
彦造　いえ結構です。なんですかヒモって?
トーキー　いいよ。
彦造　人がわからないのに教えてくれないんですか……?

トーキー　（突然キツく）さっさと片づけろよ小便！
彦造　（はじかれるように）はい……！

トーキー、弁当箱を手にして下手袖へと去った。

彦造　……。

彦造、嫌そうに小便を拭き始める。
是也がロビーへの出入口から来る。

彦造　おう。
是也　（手にしていた包みを隠すようにして）何拭いとんじゃ。雨漏り？
彦造　雨漏りとちゃう。あとおまえ拭け。
是也　なんでじゃ……！
彦造　どこ行っとったんじゃ？
是也　ちぃとな。（床の小便を）なんなんじゃいこれ。
彦造　（トーキーが残していった湯のみを示し）トーキー兄さんがお茶っ子こぼしたんじゃ。
是也　ああ。
彦造　（湯のみをわざわざ取りに行き、手にして）な、ほら、このお茶っ子じゃい。

是也　ああ。
彦造　拭け。キャラメルやるから。
是也　一箱か？
彦造　ボケ！　一粒じゃ、頼む。（調光室の方を指して）兄ちゃん機材のトラベルで忙しいんじゃ。
是也　トラベル？
彦造　拭け、頼む拭け。

是也、雑巾を受け取ると手が濡れることも気にせず拭き始める。

彦造　……お茶っ子は汚ないからよぉく手ぇ洗っとけよ。
是也　別にお茶っ子は汚なく（ないじゃろう）。
彦造　汚ないんじゃこぼれたお茶っ子は！　床が汚ないんじゃ！
是也　兄ちゃんいっつも拭いとるじゃろう床。
彦造　じゃけど、喜劇役者は衛生第一じゃろう。
是也　喜劇役者は笑い第一じゃ。
彦造　おまえは口ばっかりじゃけぇ。（からかうように）三角座の看板俳優は。
是也　（やや気まずく）あれは冗談じゃったちゅうとるじゃろうが。拭いたぞ。（と彦造に雑巾を投げる）

彦造　（思わず飛びのいて）もっとよお拭け……！
是也　……（やや理不尽に感じるが別の雑巾で再び拭き始める）

短い間。

彦造　大和兄さんなんじゃけどな……
是也　（拭きながら、見ずに）あ？
彦造　おまえんこと嫌いなのか……？
是也　（拭きながら、見ずに）なんでじゃい……？
彦造　おまえんことぶん殴れって言われた……
是也　（ギョッとして）なんでじゃ⁉
彦造　わからん。さっき大和兄さんが調光室に入って来んさって、いきなり言われた。兄貴ならぶん殴れと。
是也　俺のこと嫌いなのは大和兄さんなのに、なんで兄ちゃんが俺をぶん殴るんじゃ……⁉
彦造　せめてものやさしさじゃろう。わからん。兄ちゃん機材のトラベルであれしてて話半分でしか聞けんかった。
是也　（忌々し気に）なんじゃあいつ……。
彦造　あいつなんて言うな。兄さんじゃろ。
是也　……。

彦造　駄目じゃ、あいつなんて言ったら。

　　是也、小便を拭き終わる。

是也　（手の臭いを嗅いで顔をしかめ）ほんとにお茶っ子か？

彦造　お茶っ子じゃ。

是也　……で兄(あん)ちゃん俺をぶん殴るんか？　大和兄さんの言いつけで。

彦造　ぶん殴るわけないじゃろが。（笑う）兄(あん)ちゃんはおまえの味方じゃ。

是也　……。

　　男装（と言っても中年男性）のトリコが舞台袖から来る。
　　彦造と是也、口々に「お疲れ様です」と言う。

トリコ　（是也に）あんたさ、出番ちょびっとなんだから出てる時ぐらい相手役の目ぇ見なさいよ。

是也　……。

彦造　（小声で是也に）おまえじゃ。

是也　（見ずに）はい……。

トリコ　見ろっての！

是也　本番は見ます……。
トリコ　生意気……。
彦造　（苦笑しながら）すみません……。
トリコ　（彦造に）言ってやりなさい生意気って。
彦造　（冗談めかして）生意気じゃ。
トリコ　……。

トリコ、舌打ちして上手袖へ引っ込んだ。

彦造　助造。
是也　是也じゃ。
彦造　うん……こう言っちゃなんじゃが、おまえ、大和兄さんに限らんと、わりかしみぃんなに嫌われとるんじゃない？
是也　じゃとしたらなんじゃい。仲良し小好しで笑いはできん。
彦造　おまえがええならええんじゃ……じゃけど座長さんにだけは嫌われんようにしないとなあ。犬のエサの役だのヘソのゴマの役だのばっかりじゃあ笑いもヘッタクレも（あったもんじゃない）
是也　（遮って）ヘソのゴマの役ってなんじゃ、そんなんやったことないわい！
彦造　例えじゃ！　初ちゃんも――初子さんもおまえのやっとることはよおわかりかねる

ちゅうとる。

是也　（吐き捨てるように）フン、あんな素人に笑いの何がわかるんじゃ。

彦造　初子さんは素人なんかじゃない！　おまえなんかが入るずーっと前から三角座の舞台に（通っとるんだから）

是也　（遮って）ずーっと通っとるのは旦那が帰って来ると思い込んどるからじゃろが。あの女は客席から、ずーっと死んだ旦那の亡霊を見とるんじゃ。気色悪くてかなわん……。

彦造、いきなり是也を殴る。

是也　！

ちょうどその瞬間を、煎餅なんぞを齧りながらのれんから現れたママが目撃していた。

ママ・彦造　（目が合って）……。

是也　痛え……。

ママ　（よしよしとばかりに、彦造に）仕方ないだろ口で言ってもわかんないんだから。

彦造　はい……？

ママ　（是也に）やめなきゃ意味ないのよ⁉

ママ、同じのれんへと引っ込む。

彦造　……。
是也　なにするんじゃ！　ぶん殴らんて言うたじゃろうが！　味方じゃないんか⁉
彦造　これは違うぶん殴りじゃ！　味方側の！　ぶん殴られてわからんか！　ボケ！　バカチン！（悲しい）
是也　痛え（いって）……夜の部に出られんかったら兄ちゃんのせいじゃぞ……。
彦造　……痛いか。
是也　痛いわい。
彦造　とってもか。
是也　とってもじゃ……。
彦造　すまん、加減がわからんかった。すまん。キャラメル。（と出す）
是也　いらん……！
彦造　いらんならいい。（と引っ込める）
是也　（手を出す）
彦造　（その手を避ける）
是也　（ので）なんじゃい。
彦造　口あけい。あーんじゃ。

是也　……。（あける）

彦造、是也の口の中にキャラメルを放り込む。

是也　（なめている）
彦造　美味いか……。
是也　まああじゃ……（と楽屋に向かいながら）血ぃの味がする……。
彦造　切れたか口ん中……すまん……。
是也　機材トラベルはええんか。
彦造　あ、そうじゃった。冷やした方がええぞ。頑張れソアレーも。
是也　トラベルは旅行じゃ。

是也、楽屋へ引っ込む。

彦造　なに……？　旅行に行きたいんか？

返事はない。彦造、残されたバケツと雑巾を片づけに、再び下手袖へと向かう。
ややあって、着飾った蛇之目秀子がロビーへの出入口から来る。

蛇之目　……。

彦造、すぐに、やや困惑した顔つきで、来た方を振り返りながら戻って来る。

彦造　(蛇之目に気づき) あ、すみません。夜の部の開場は六時半です。

蛇之目　万(ばん)ちゃん呼んでちょうだい。

彦造　はい？

蛇之目　万ちゃんよ。

彦造　そんな人はいません。すみませんけど今忙しいんで——(と戻って行こうとする)

蛇之目　待ちな！　なんだいあんたモグリかい？

座長と鰯がロビーへの出入口から来る。

彦造　座長さん。(と困惑顔で近づいて行き) ヘンなお婆さんが入って来ちゃって。

座長　え？

彦造　(やはり小声で) バンちゃんはいないかって。

座長　(笑って) バンちゃんは俺だよ。

彦造　座長さん？

座長　ヘンなお婆さんてバカヤロ、興行主さんだよ。

彦造　え、エライ方？
座長　ああ俺よりずっとエライ方だ。蛇之目興業の蛇之目秀子さん。よく覚えとけ。（蛇之目に、彦造を示して）悪いね、入ったばっかりで。
蛇之目　ああ。（鰯に）こんちは。その後元気にやってるかい。
鰯　そうでもないです。（そんなことより）座長、中途半端で話終わらせたくないんですよ。
彦造　万ちゃん、はばかりの前で（トーキーさんが）
座長　（かぶせて）おめえが呼ぶな！
彦造　なんですか？
座長　おめえが万ちゃんて呼んじゃ駄目！
彦造　呼んでません。
座長　呼んだよ！　どうなってんだ、昼間鉄砲鳴らなかったじゃねえか。雪も遅えよ降り出すのが！
彦造　すみません……。
蛇之目　ちょうどよかった。この前の横浜の件なんだけどね、先方はやっぱり南国ちゃんじゃなくて鰯ちゃんがいいって言うのよ。
座長　（曖昧に）ああ。
蛇之目　（鰯に）たった一日ぽっちなんだからなんとかお願いできないかって。
座長　（鰯に）準備があるだろ、行けよ。（蛇之目に）応接で茶でも飲みながら話しましょう。
鰯　（蛇之目に）なんですか横浜の件て。

蛇之目　横浜の喜劇祭りよ。万ちゃんから聞いてるでしょ。
鰯　喜劇祭り？
座長　（鰯に）あとでちゃんと話すよ……。
蛇之目　なに万ちゃん、鰯ちゃんが体調のあれで辞退したいって言ったんだろ、違うのかい？
鰯　体調のあれ？　座長……。
座長　（観念して鰯に）メインどころがトニー谷やシミキンだってんだ。おめえとは相性悪いし何も得しねえよ。
鰯　ギャランティは？　いくらもらえるんですか。
蛇之目　悪くないんだよ。一日で手取り三千円。やってくれるあんた？　来月の三十日。
鰯　やりますよ。やるに決まっててんでしょう。
座長　鰯ちゃん。言わなかったのは悪かったよ。
鰯　ええ、不信感はますます募るってもんですけど、まあそんなこたいいですよ、出られりゃ。（蛇之目に）よろしくお願いします。
座長　今回はやめとけ。
鰯　（強く）なんでですか！
座長　この先機会はいくらだってあるよ。（蛇之目に）ねえ。
蛇之目　わかんないわよ先のことは。
座長　あるよ！　こいつ面白えんだから！
蛇之目　やるって言ってんだからやらせてあげればいいじゃないの。

彦造　座長さん。
座長　うるせえ！　今立て込んでんの聞いててわかんねえのか！（鰯に）シミキンなんかと絡んでみろ。あの男自分が目立つために散々おまえさんのことを引っ張りまわすぞ。ここみてえに狭い舞台じゃねえんだ。体がもたねえよ、まだやめとけ。（蛇之目に）すみませんけどここは予定通り、森南国でお願いします。
鰯　座長さん。三年も入院してると、周りにはいろぉんな奴がいましたよ……同じ病気で死んでく奴は月に二人や三人じゃねえ……バッタバタ死んでった……入院してる間に女房に裏切られてわんわん泣いてた間抜けもいたな……あんまりしんどくて病室で――大部屋の端っこで首吊った奴もいましたよ……。
一同　……。
鰯　俺は運良く医者に出て行っていいと言われましたがね……あいつらの悲惨な姿が目に焼きついて離れないんですよ……！　キレイ事言うわけじゃありませんが、俺はあいつらの分まで
座長　（遮って）言いてえこたわかるけど無理なもんは無理だよ。健康第一だ。もう南国の奴にも言っちゃったし。
鰯　それはそっちの都合でしょう！　話の腰を折るなよ！
蛇之目　喧嘩はおやめよ！
鰯　……。
蛇之目　仕方ないね。座長さんがそうおっしゃるんじゃ……。

血相を変えた初子が下手袖から飛び出して来る。

初子　座長さん！　トーキーさんが変なんです。

座長　え……？

彦造　（初子に）変ですよねぇ⁉（座長に）はばかりの前で横になって、妙ないびきかいてるんです。起こしてもちっとも起きないんですよ。

座長　⁉　なんで早く言わねえんだバカヤロウ！

彦造　すみません……。

音楽がフェード・イン（あるいはカット・イン）してくる。
鰯と蛇之目以外、下手袖へと走り去る。

蛇之目　脳卒中かしらね……。

鰯　……。

蛇之目　鰯ちゃん。

鰯　なんですか……。

蛇之目　あんたここ出て行こうとは思わないの？

鰯　今んとこ思いませんね……こんなでも他所（よそ）よりはマシなんじゃないですかね……。

ママが下手袖から足早に来る。

ママ　鰯ちゃん、座員全員集めて。裏方さんも。

鰯　はい……。

鰯、ロビーへの出入口から出て行く。

ママ　（蛇之目に）夜の部中止にします。

蛇之目　なんとかやれないの？

ママ　今からじゃ代役立てるのも無茶ですから。

蛇之目　してちょうだいよ無茶。五、六分の入りだとしてもちょっとは金になるんだから！　トーキー一人ぐらいいなくたってなんとでもなるでしょう！

ネジ子が来る。

ネジ子　（ママに）招集は？　かけたの？

ママ　今鰯ちゃんが。救急車は？

ネジ子　座長さんが。

蛇之目　救急車は裏につけてもらうように言ったかい⁉　表になんか来られたらいらぬ騒ぎになるよ……！

座長が来る。

座長　ありゃもう駄目だ……。いびきがやんで静かになったと思ったら息してねえよ……。

ママと座長、引っ込み、劇場の舞台上にはネジ子一人が残る。

ネジ子　……。

マルさんがおかもちを下げてロビーへの出入口から現れる。

マルさん　はい毎度ぉ！　東々亭ですよぉ！（と調子よく入って来たが、場の空気と蛇之目の存在に）……。
蛇之目　なんだいあんた……。
マルさん　ラーメン屋です、見ての通り……。
蛇之目　（誰に言うでもなく）出前は表口からは出入りさせるなとあれほど言ったのに……。
マルさん　すいません……。

ネジ子　（トーキーが先ほど飲んでいたお茶を見つめて）……。

ママが戻って来る。

ママ　（静かに）ネジ子さん……トーキーさん……。

マルさん　（ママに）どうかしたんですか？

ママ　……。

ネジ子　（お茶を見つめながら）せめて出前のひとつもとってあげりゃよかったねぇ……。

音楽高鳴って、溶暗――

第三場

字幕「半年後　昭和三十三年　春」。

前場と同じ三角座の劇場。

今劇場の客席にいるのは、大和、鰯、南国。皆を取材しに来た雑誌の記者。発言のメモをとっているアシスタント。そして輪からはずれて自分の店のラーメンをすすっているマルさん。

傍にはテーブルが出されていて、そこで何人かがラーメンを食した後なのであろう、丼が置かれており、手つかずのラーメンが一つ。

記者　申し分けありません本番後のお疲れのところ……この後もお稽古なんですって？
大和　ええ、明日初日なんで。
記者　初日前はいつも徹夜でお稽古を？
大和　はい、十日間で演目が替わるんで。
記者　へぇ……しかし驚きましたよ。今日一年振りに拝見しましたが立見席までぎっしりで。しかもやたら女性客が多い。テレビ局のプロデューサーも観にいらしてた。私ゃ喜劇は門外漢ですが、それでもああ今笑いの新風が巻き起こってるんだなぁってのを肌で感じました。

是也が楽屋から来る。

マルさん　お。
記者　お待ちしてました。素晴らしかった。腹を抱えて笑いました。
是也　(さしたる反応せず) 食っちゃっていいですか。
記者　もちろんです、のびちゃいますから。
鰯　(嫌味で) 構わねえよ。待たされんのは俺たちなんだから。
是也　すみません急ぎます。急いで食っちゃった方が味わからずに済むんで。
マルさん　わからない方がいいみたいな言い方すんなよ。
大和　(是也に) そんなだったら食わずにやれよ……!
記者　(制して) いやいや、先にお三方のお話伺っておきますから、どうぞ慌てず。

是也、ラーメンを食べ始める。

記者　(残る三人に) どうなんでしょうね、やはりテレビってものが大衆に与えている影響というのは?　大きいと感じますか?
マルさん　(当然のように割り込んで) そりゃでかいよ。ウチの店にはテレビ無えけど (少し笑う)。

テレビが観られるからって言って向かいの定食屋行っちゃう客いっぱいいるよ。でかいでかい。

記者　(内心迷惑で) そうですか。南国さんどう思われますか?　テレビの影響。

南国　どうなんですかねぇ。わからないですね……。

マルさん　でかいって。

記者　何年か前までストリップ劇場でコントやってらした芸人さんが卒業されて、丸の内に進出されてテレビにも出てらっしゃったりしてますよね?　脱線トリオや渥美清さんや――そうした同世代の方々を御覧になって、南国さんは何か思うことはありますか?

南国　(明らかにトーン落ちて) ないですね別に……。

マルさん　ないよな別に。他人(ひと)は他人(ひと)だよ。

記者　……多々見さんは?

マルさん　おっ鰯ちゃん。

鰯　(不機嫌に) ウチはストリップ劇場じゃねえから……。

マルさん　そもそもがな。

記者　もちろんそうなんですが……。大和さんは?　やはり目標はテレビですか。

マルさん　そりゃそうだよなぁ。

記者　(遮ってマルさんに) すみませんが少し黙っていていただけませんか……!?　三角座の皆さんの取材なのに、彼女ほとんどラーメン屋さんの言葉をメモしてますから。(ア

シスタントのこと)

手紙の束を持って彦造が来る。

彦造　失礼します。(是也に)ほれ、今晩のファンレター。
是也　(食べながら)そこ置いといて。
彦造　十八通。記録更新じゃ。
是也　(食べながら)ああ。
彦造　大和兄さんにも三通。
大和　いちいち数言わなくていいよ!
是也　(食べながら少し笑う)
大和　何が可笑しいんだよ。
是也　思い出し笑いですよ。
大和　……。
彦造　すみません。
記者　いやいやお二人ともすごい人気だ。

初子が来る。

初子　お疲れ様です。
彦造　お疲れ様です……！
記者、アシスタント、大和だけが、それぞれのトーンで「お疲れ様」「お疲れ様です」と返す。

南国　初ちゃん。
初子　はい。
南国　トーキー兄さんの仏壇、あれいつまで飾っとくんだい、事務室。
初子　さあ……。
大和　そうですよね。（初子に）邪魔でしょうがないよ、あんなでっけぇ仏壇、家じゃねぇんだから。
初子　もう御本人のアパート引き払ってしまったから……。
南国　ネジ子姐さんが買ったんだろ、ネジ子姐さんが自分の金で。
初子　だと思うけど……。
南国　だったらネジ子姐さんちに置いときゃいいじゃねえか。
大和　そうですよねぇ。
初子　皆さんに拝んでほしいんじゃないですか？　わかりますよ私その気持ち。
南国　だって拝まねえぜ誰も、ネジ子姐さん以外。

初子　（諌めて）そんなことありませんよ。拝んでますよ私……！

マルさん　（笑いながら）浮かばれねえなトーキーさんも。

初子　そんな笑って……これ空いた丼ぶり片づけちゃいますね。

彦造　あ、手伝います。

初子　すみません。

マルさん　悪いね初ちゃん。

初子　んん大丈夫。

記者　鈴木初子さん？

初子　（面喰らって）はい……。

記者　お元気そうで何よりです。

初子　（相手が誰だかわからず）えーと、すみません……。

記者　憶えてらっしゃらなくて当然ですよ。戦前の話だ。面影書房の野村です。鰯さんと御主人の走さんに取材をね、させてもらったことが。実は私の初仕事だったんです。だからよく憶えてるんです。

初子　ああ……なんとなく……その節は。

記者　あなた方はまだ新婚で、あなた走さんの後ろに恭しく控えてらした……。

彦造　……。

アシスタント　（ハタと、記者に）そうか。じゃ鰯さんも本名は多々見さんじゃなくて鈴木さんなんですね。

記者　そうだよ。義理の姉弟。
アシスタント　鈴木鰯さん。
記者　鰯も芸名だよ。
鰯　（小さく）うるせえ……
記者・アシスタント　……。
鰯　もういいでしょうそろそろ。
記者　え……
鰯　この後朝まで稽古なんですよ。
記者　ええ、それは伺ってますけど……
鰯　（南国に）十一時までって話だったろ？
アシスタント　（記者にやや小声で）まだ十時三十五分ですよね……。
記者　（やはり小声で）うん……。
アシスタント　（同じく）まだ主役のお話なんにも聞けてませんし……。（と是也を示す）

「主役」のひと言に周囲が敏感に反応した。

記者　（のを感じとり）キミ。
アシスタント　（慌てて取り繕い）主役ってのはもちろん、皆さん全員が主役なんですけど、是也さん含め。

撫子がお茶を二つ持って花道ののれんから来る。

撫子　失礼します。お茶をお持ちしました……。

アシスタント　お茶。（記者に）お茶だそうです。

記者　お茶だよ。（撫子に）すみませんどうも。

鰯　なんでもいいよ。後はよろしく。（と行こうとする）

南国　鰯兄さん。もうちょいと辛抱しましょうや。くっだらねえ取材ですけど。

鰯　なんで……！

南国　劇団の宣伝になるんですから……。

鰯　宣伝？

南国　ええ。

鰯　（大和に）なると思う？

大和　……なるんじゃないでしょうか。

鰯　（初子に）思う？　なると。

初子　なりますよ。

彦造　なります。

マルさん　なると思うぜ俺も。

鰯、是也を見る。

是也　（ズルズルと音を立ててラーメンを食っている）

鰯　……。

記者　モノクロですけど六ページですから。

鰯　六ページ。まさか最初の二ページが見開きで是也の写真だったりしねえよな……？

記者・アシスタント　……。

鰯　（わざと驚いて見せ）するの⁉　二ページまるまる？

アシスタント　四ページです……。

沈黙。

座長がのれんから顔を覗かせる。

座長　あ、初子ちゃん。

初子　はい。

座長　すまないけど台本綴じるの手伝ってもらえますか。ロビー。

初子　はい。

座長　（彦造に）おまえも。

彦造　はい……。

初子、彦造、ロビーへの出入口へと去る中——。

座長　（記者に）どうですか。つつがなく進んでますか？
記者　（言い淀み）はあ、まあ……
鰯　俺はもう話すことありませんよ、こういう方面の方々には。
記者　方面？　方面とは？
鰯　芸にも笑いにもこれっぽっちも興味ねえクセに、雑誌売らんがために、ポッと出のなぁんにもできねえ青二才をヨイショする方面だよ！（メモしてるアシスタントに）メモとんなよ！
アシスタント　とってません。
鰯　じゃこうやってやるな！（とメモをとる仕草）
座長　（まったく動じず）じゃあとはよしなに。（と一旦引っ込み、また顔を出して）若者二人ちゃんと喋れよ。宣伝だ劇団の。
大和　はい。
座長　是坊返事しろ返事。若者じゃねえのかおめえ。
是也　（スープをすすりながら座長を見て）できるだけ喋ります。
座長　（むしろ嬉しそうに）できるだけって汁すすりながら。バカヤロ。

座長、引っ込む。

鰯　劇団の宣伝？　こいつの宣伝だろう⁉

アシスタント　（記者に）劇団さんの宣伝ですよねぇ……。

記者　そうですよ……。

是也　（食べ終えて、鰯に）疲れちゃいますよこれから稽古だってのに、そんなにワーワーわめいたら。

鰯　……さすがの余裕だな人気者は。

是也　人気者ったってたかだか三百席の劇場じゃないですか。ごちそう様でした。さ、やるならやっちゃいましょうよ。（と自分の座布団へ）

鰯　撫子、その兄。見ろよこの態度。何ヶ月か前までポン中の禁断症状でヒィヒィ泣きわめいてたあいつと同一人物だぜこれ。（と是也の頭を小突く）なあ、これ。（とさらに強く小突く）

是也　……。

南国　兄さんよしない。（と鰯を制する）

鰯　（のを振り払って）黙ってろ座長の太鼓持ちは。

マルさん　鰯ちゃんデリカシーがないよ。デシコちゃん涙ぐんじゃってるじゃない。

撫子　涙ぐんじゃいないわよ！　撫子。

鰯　（記者たちに）こいつ——さっきそこで脱ぎそうで脱がねえ中途半端な踊り踊ってた女。

大和　是也とデキてやがるんですよ。
鰯　（諌めて）鰯兄さん……。
アシスタント　（メモをとり始める）
記者　（小声で）いいよとらんで……！
鰯　（是也に）宿直部屋に鍵かけられて、ひと月も閉じ込められてな。ひどい有様だったよな。「ヒロポンくれぇ！　ヒロポンくれぇ！」って。（撫子に）あれからもう二ヶ月か、三ヶ月か。
撫子　じき三ヶ月です……。
大和　おまえも。
撫子　聞かれたから答えたのよ……！
鰯　そん時の世話係が撫子ちゃんだったってわけですよ。（撫子に）それはもう涙ぐましい努力でな⁉　やめさせたんだよなヒロポンを。おかげで是也の愛を勝ち取れて、めでたしめでたしだ。（記者たちに）その辺りの感動秘話をよぉく聞いとくといいですよ、こいつと是也に。（撫子に）せいぜい今のうちに楽しんどけよ？　湿った手と手握り合って。ガキだけはできねぇように気をつけろ、どうせすぐに捨てられちまうんだから。
撫子　余計なお世話です。
大和　（撫子に）おい！

鰯　大丈夫だよ聞こえてねえから。なぁんにも聞こえねえ。

鰯、そう言いながら楽屋へと去って行く。

短い間。

是也　よく喋るな一人で……（南国に）あれ絶対疲れちゃいますよね。

マルさん　まったくだよ肺片っぽ無えのに。カタワだぜ言ってみりゃ。絶対疲れちゃうよなぁ。

大和　（記者に）あの……書かないですよね……？

記者　書かないよ。そんな記事書いたらこっちの首が飛ぶよ。（南国に、鰯のことを）しかしあの人は聞きしに勝るタチの悪さですね。いくら面白くたってあんなじゃなぁ。

アシスタント　人柄ですよ芸人は。

記者　うん……（南国に）いつもああなんですか？

南国　……。

記者　南国さん。

マルさん　（南国に）入院する前よりだいぶひどいよな。

アシスタント　（記者に）舞台で観る鰯さんとまったく違いますね。

記者　そりゃキミ、舞台とは違うよ。

マルさん　舞台であんなだったら客怖がってみんな帰っちまうよ！

南国　マルさん。

マルさん　はいよ！
南国　帰れよ。
マルさん　え……？
是也　そうですよ……。
大和　そうだよ帰れよ……。なんでラーメン屋が配達先でまずいラーメンを美味そうに食ってんだよ。帰れよ……。
撫子　そうよ……。
マルさん　（苦笑して記者に）総スカンだよ……。
記者　帰った方がいいと思いますよ。
アシスタント　私もそう思います。
マルさん　（かぶせて）帰るよ！（記者たちに）あんたらに言われる筋合ねえけど。だけど、帰ってもどうせもう店、看板だしね……。
一同　……。
マルさん　そうだ。夏の長野公演、今年こそ行こうと思ってるんだよ、若い衆がやっと一人前になってくれたんで店まかせて。
撫子　いいですよ来なくて。
マルさん　つれないこと言うなよぉ！　じゃ、ちょいと楽屋行ってくっかな。（と向かう）
大和　帰れよ！

マルさん、笑いながら楽屋へと走り去る。

記者　（トーンを明るくして）さて、では気を取り直して
南国　（遮って、威圧的で妙な語気で）あんたらも帰ったらどうですか。
記者　え……。
南国　ぶん殴られたくなかったら。
記者・アシスタント　……。
南国　ひとまず立ちません？

記者、慌てて立ち上がる。

南国　（アシスタントに）あんたは何故立たないんだろう？
アシスタント　（はじかれるように）立ちますよ。（と立つ）
南国　帰った方がいいとは思いませんか？
記者　……思います。
南国　思うならどうします？
記者　帰ります。また近いうちに日を改めて（お話を伺いに）
南国　（遮って）そうですね、近いうちにな、是也と大和だけでな！

記者とアシスタント、南国に追い立てられるようにして、ロビーへの出入口から去って行った。

沈黙。

南国　ちくしょ……なんだか無性に腹が立ってしょうがねえよ是也。どうすりゃいい是也。

是也　すみません……。

大和　いい気になってますよねこいつ。

撫子　味方がいない時に言いなさいよ。

大和　どうして⁉　有利じゃないか兄さんがいた方が。

撫子　……。

南国　（是也に）すみません？　何が。「人気があってすみません」か？「面白くてすみません」か⁉

大和　どうなんだよ。

南国　おめえ少し黙ってろ。

大和　……。

南国　鰯兄さんの言ってること、俺にはよぉくわかるよ。

大和　（傍に置かれた手紙の束を指して）そうだよ。おまえに毎日手紙くれてる女いるだろ、紺色の封筒で。

是也　さあ。それがなんですか……。

大和　前は鰯兄さんの客だったんだよ。唯一兄さんに手紙をくれてた女だよ。小太りで目が細え女だよ。それをおまえは

南国　どうでもいいんだよそんなこたぁ！　俺は笑いの話をしてんだ笑いの！

是也　俺も別に、自分が面白ぇとは思ってませんよ……。

南国　ほぉ……。

撫子　思ってるでしょ。

是也　思ってる。

南国　!?

是也　思ってるけど、そうじゃねえんですよ。俺は面白ぇんですよ。俺は面白ぇんですけど、面白ぇんです。

南国　なんだよ面白ぇんじゃねえか！

撫子　（是也に、じれったく）是也話が下手クソ。

是也　呼び捨てやめろっての……。

大和・南国　……。

撫子　是也兄さんは自分のことを面白いとは思ってるんです。でも今やってることは——やらされていることはちっとも面白いと思えないし、どうしてお客が面白くない自分を観て笑ってるのかもわからないんです。そうでしょう？

是也　そう……。

大和　（まったくわからず、撫子に）何言ってんのおまえ……!?

撫子　お兄ちゃんには無理よ。
大和　無理ってなんだよ!?
南国　無理だおめえには。
大和　……。
南国　（是也に）やらされてること？
是也　ええ。
南国　が？　面白くねぇ？
是也　ですね……。
南国　よく言えたもんだなそんなことが……。十五年も三角座の文芸部を支えてきた長目先生の台本にケチつけるのかおめぇは……！
是也　南国兄さん面白ぇと思ってんですか？　ここ最近の長目先生の台本。
南国　え……？
是也　正直に。
撫子　言えるわけないじゃないの正直になんて。
南国　言えるよバカヤロウ！（躊躇なく）思ってるよ、思ってるに決まってるじゃねぇか……！
是也　とっても？
南国　なに!?
是也　とってもですか……？

南国　台本なんてそこそこ面白けりゃいいんだよ！　あとは役者が埋めりゃいいんだ！
撫子　スッカスカで埋めようがないんでしょ？
是也　……。
撫子　言ってたじゃないのスッカスカで埋めようがないって。言いなさいよそういう風に。
是也　……（南国の表情を見て、撫子に）いいよ！
撫子　どうして⁉　嘘なの⁉
是也　嘘じゃねえよ！
撫子　だったら言っちゃいなさいよ！
是也　いいって！
南国　（丸聞こえなので）いいっても何も！
是也　……。
南国　そう思うならこんなとこで俺に文句言ってねえで直訴しに行ったらどうだい、長目先生に。言えんのかスッカスカですって。
是也　座長さんには言いました。
南国　（意外で）座長に？　言ったのおまえ？　スッカスカだって？　そしたら？
是也　「生意気抜かすな。てめえに面白ぇ台本が書けんのか」と言われました。
南国　もっともだよ。それで？　おまえは？
是也　書いてきました。
南国　何を……⁉

是也　だから台本。
南国　いつ……⁉
是也　今朝。
南国　……そしたら座長なんだって……?
是也　「やってみよう」って。
南国　あ⁉
是也　今から配られる台本俺のです。
南国　（ものすごい顔で）ああ⁉
是也　（撫子に）ほら見ろ。（南国の顔を指さして）こうなるから台本配るまでは言うなって座長さんに言われたのに！
撫子　そうなの⁉
是也　そうだよ！
撫子　知らなかったものそんなこと！

南国、座長に抗議しようというのか、あるいは台本を読もうというのか、のれんの向こうへと突進して去って行った。

短い間。

大和　（唖然として）何考えてんだよおまえら……。（撫子に）読んだのおまえ、こいつの書いた台本。

撫子　抜群に面白いわよ。（是也に）ね。

大和　おまえにわかるかよ。

撫子　わかるわよ。

大和　自作自演でチャップリン気取りか。あ⁉

是也　あんなジメジメしたもんじゃないですよ。

大和　ジメジメっておまえ、

是也　ジメジメでしょう。だから日本人にウケるんですよ。不純物だらけだから。

大和　不純物？

是也　駄目ですよチャップリンは。

大和　チャップリンだぞ⁉　おまえがチャップリンを駄目と言う⁉

撫子　笑いに必要なのは笑いだけなの。笑いに奉仕するのは笑いだけであるべきなのよ。涙とか感動とかそういうのはいらないの。（是也に）でしょ？

是也　そう。

大和　（是也に）だったらまず笑わせてみろよ！　おまえさ、自分でわかってる？

是也　え？

大和　この際言っちゃうけど……撫子、いいかな言っちゃって。

撫子　何をかわからないからいいかどうかわからない。

大和　言っちゃう。今おまえが客にウケてるのは兄さんたちがウケてるのとは全くわけが違

撫子　うんだぜ⁉　笑われてるんだよおまえは、笑わせてるんじゃなくて！
大和　そんなことないわよ！　全然そんなことない！
撫子　あるよ！
大和　だったらお兄ちゃんはどうなのさ⁉
撫子　俺⁉　俺はこいつに便乗して
大和　便乗してるんじゃないの！
是也　するさ！　するだろそりゃ！
大和　わかってますよとうに、自分が笑われてるってのは……。
是也　……。
大和　演者として駄目なのもわかってます……。
是也　……駄目ってほどじゃねえだろう。
撫子　いや、まったく駄目です。
是也　そんなことないよ。
撫子　（強く）駄目なんだって！
是也　……。
撫子　おまえ俺が一人で演じてみせたっていっつもつまらなそうにしてるじゃないか。
是也　してないわよ、笑ってるでしょいつも……⁉　爆笑してるじゃないの。
大和　愛想爆笑だろ？
　　　愛想爆笑？

是也　今朝台本読んでもらった時だけは本気で笑ってた。わかるよ。

撫子　……。

ケッパチが下手袖から、綴じられたガリ板刷りの台本を読みながら現れる。

大和・撫子　（口々に）お疲れ様です……。

ケッパチ　（主に大和に）台本もらったかい。

大和　まだです……。

ケッパチ　面白ぇぞなかなか。長目先生ノってるよ。

撫子　（嬉しそうに是也を見る）

大和　そうですか……。

ケッパチ、そのまま上手袖へと去る。
ごく短い間。

是也　（大和に）頭の中では次から次へと、抜群に面白いことを考えつくんですよ、止まらないぐらい……ところがいざ自分で演ってみると、悲しいかなちっとも面白くないんです……。

大和　それは……困ったね。

是也　だから役者は辞めようと思ってます。
大和　（ものすごく驚いて）え……⁉
是也　ええ。
大和　辞めちゃうの⁉
是也　（説明してくれという意味なのか、撫子を見る）
撫子　（大和に）……座長さんがね、納得してくれないのよ。
大和　そりゃそうだろ。今の三角座はこいつでもってるようなもんなんだから。こいつと俺で。
撫子　……今回の台本書かせてもらったのも必ず出演しますっていうね、条件つきなの。
大和　……考えた方がいいよ辞めるのは。
撫子　さんざん止めたのよ……。
大和　じゃあなに、おまえ今後は作家でやってくってこと？
撫子　とりあえず三角座の座付作家として
大和　（遮って）俺はこいつに聞いてるんだよ！　とりあえず？
是也　座付作家で終わるつもりはないんで。俺は世界を笑わせたいんです。
大和　（撫子に）正気かこいつ……。（是也に）やめてねえだろヒロポン⁉
撫子　やめたわよ！　ねえ！
是也　（むしろ撫子に）やめたよ。
大和　なあ是也。

是也　なんですか。
大和　作家って……俺はこいつを――妹を幸せにしてやりたいんだけど。
是也　……ええ。
大和　幸せにしてやりたいんだよ。こいつもそうそう長く踊り子やるつもりねえみたいだし。
まあ何がどうなるかなんてわからねえけど……。
是也　……だから？
大和　だから……それが結論でしょ⁉　幸せにしてやりたいんだよ俺は！

ロビーへの出入口からトリコが入って来る。白っぽい楽屋着のそこかしこに血らしきものがついている。

トリコ　（楽屋へ向かいながら）お疲れ様。
大和　お疲れ様です。
トリコ　（トリコらしくない優しさで）今夜みんなよかったわよ。とってもやりやすかった。ありがとう。

皆、あっけにとられるように頭を下げる。

トリコ　デシコちゃんリズム感が抜群だった。

撫子　ありがとうございます……。
トリコ　是坊も今日はヤケに生き生きしてたわ、何かいいことあったの？
是也　いえ……別に……。
トリコ　大和くんも、（とくに具体例が思いつかず）よかったわよ。
大和　どうも……トリコ姐さん、それ血ですか……？
トリコ　うんちょいとね。
撫子　怪我したんですか……!?
トリコ　してないしてない。血糊よ。

トリコ、楽屋へと去る。

撫子　血糊……？
大和　今あの人泣いてたろ……。
撫子　え？
大和　泣いてたよ。泣くんだなトリコ姐さんでも。

ロビーへの出入口が開いて、初子が来る。

初子　救急車呼んでください……！

大和　どうしたの。
初子　よくわからないの。ロビーで人が刺されてて。
大和　え……？
初子　さっき観に来てたお客さんだと思うんだけど。

大和、是也、撫子、思わずトリコが去った方を見る。
すぐに、血まみれになった肩のあたりを押さえながら斉藤が来る。

斉藤　いやいや、本当にやめてください、たいしたことないんですから。肩なんで、全然痛くないんです。
初子　痛いですよ！
斉藤　あなたは痛くとも私は痛くないんです。（大和たちに）日本テレビの斉藤です。先ほど拝見しました。大変面白かった。夏の長野公演、生放送で舞台中継をできないかと……協議中でして……（痛い）長野でお会いできますことを、楽しみに……（とても痛い）
初子　手当てなさらないと死んじゃいますよ！
斉藤　死にませんて。じゃどうも。失敬。（帰って行こうと）
初子　救急車呼びますから！
斉藤　（行きながら）呼びたくなったら自分で公衆電話で呼びます。（ついて来ようとする初子に強く）いやもうここで結構！

斉藤、痛そうにしながら去った。

初子・三人　……。

大和　（初子に）平気だって言ってるんだから平気だよ。

初子　……一体誰があんなこと……。あの方自分でやったっておっしゃってたけど、自分じゃやらないわよねえ……？

大和　いいよほっときゃ。

初子　うん……。（ハッとして）え⁉　テレビ局の方⁉　今テレビ局の方だって言ってた⁉

大和　言ってたね……。

のれんから台本を手にして南国が現れる。

初子　どうしよう……。

大和　初ちゃんが刺したわけじゃないんだからそう悩む必要ないよ。

初子　そうなんだけど……。

初子、ロビーへの出入口から去る。

南国　（是也に）是也、この台本（ホン）本当におまえが書いたのか。
是也　はい……。
南国　へえ……。

楽屋へ向かう南国。

撫子　まだ誰にも言わないでくださいね。
南国　言わねえよ……。
是也　南国兄さん。
南国　なんだよ。
是也　面白ぇですか……？
南国　まだ十ページしか読んでねえよ。
是也　ああ。
南国　十ページで二十回は笑ったよ……。
是也　（内心嬉しく）……。

南国、去った。

撫子　お兄ちゃんも読んでよ。
大和　……。
撫子　早く。

大和、のれんの向こうへ去る。

撫子　(嬉しそうに) ほらね、やっぱり面白いのよ……!
是也　面白ぇよ、あたりまえだろ……!
撫子　うん……。ねえ、初日開いたらお祝いに桜を見に行きましょうよ、上野かどこかに。
是也　……。
撫子　ねえ。
是也　(思い詰めたように) せっかくの面白ぇ台本を俺が台無しにするんだな……。
撫子　え……。
是也　(やや声を潜めて) 撫子……。
撫子　はい……。
是也　俺、しばらく消える。
撫子　え……?
是也　ひとまずこの公演中は消えるから。(強く) 冗談じゃねえ、世紀の傑作を俺なんかに台無しにされてたまるか……!

撫子　消えるって、是也がいなくなっちゃったら主役どうするのさ……⁉
是也　誰が代役やったって俺がやるよりゃマシだよ。
撫子　あたしのことは⁉　会えなくなっちゃうの是也に……⁉
是也　おおげさだよ。明日の初日は裏口から入って調光室の影からコッソリ観るから。
撫子　観には来るの⁉
是也　来るさ、あたりまえだろう！　処女作の出来栄えをこの目で確かめねえと！　十日経ったら新作持って戻って来るって座長に言っとけ。

撫子、行こうとする是也に後ろから抱きつく。

是也　離せよバカヤロ……。
撫子　嫌よ、離したら行っちゃうでしょ……。
是也　行っちゃうさそりゃ……。

舞台下手袖から彦造が来る。
是也から離れる撫子。

彦造　（是也に）十五分後に稽古開始じゃ。（のれんを指して）台本事務室じゃ。はようもらいに行け。

是也　うん。（と行く）

撫子　ちょっと待ってよ！

彦造　どこ行くんじゃ⁉　煙草か？

是也、ロビーへの出入口から行ってしまった。

彦造　（苦笑して撫子に）煙草でしょ。十五分後に稽古開始です。

撫子　わかりました……。

彦造　台本は事務室に。目を通しておくようにと。

撫子　はい……。（のれんの奥の事務室へ行こうと、舞台上へ）

彦造　……撫子ちゃん。

撫子　はい。

彦造　（あらたまって）引っ込み大根な弟ですが、どうかよろしくお願いします……。

撫子　引っ込み大根……。

彦造　（方言だったことに気づいて）ああ……なんというか、もう何もかも駄目ってことです……。

撫子　……そんなこと（ありません）

彦造　（かぶせて）はいそんなことないんです、よぉぉく見てればとてもいい奴なんです。厄介でしょうが、よぉぉく見てやってください。（是也が行った方を見て）あいつは幸

撫子　せもんじゃ……（撫子に）お願いします……。
彦造　はい……。
撫子　台本、目を通しておくようにと。
　　　はい……。
撫子、のれんの向こうへと去って行く。
彦造　……。
トリコ（別の楽屋着に着替えている）が上手袖から姿を現す。
彦造　お疲れ様です。十五分後に稽古開始です。
トリコ　そう……。
トリコ、舞台から客席に降りるための階段に腰をおろし、煙草に火をつける。
彦造　台本は事務室に……。
トリコ　どうせ三つか四つでしょ、台詞。
彦造　どうだったか……。（話を変えようと）そうだ、よく一緒にいた作家の先生、ちょいと

トリコ　有名な方だったんですね……なんかの雑誌に写真が載ってました。

彦造　（つまらなそうに）川端先生？

トリコ　かな？　写真が載ってました。

彦造　へえ。元気なの？

トリコ　どうでしょう……元気なんじゃないですか？　笑ってましたから。

彦造　あんた『怒りの葡萄』って映画観た？　スタインベック。

トリコ　映画は……子供の頃弟と『のらくろの虎退治』ってのを観ました。

彦造　『怒りの葡萄』を観たかって聞いてるの。なに虎退治って。

トリコ　葡萄は……。

彦造　その映画の中でジェーン・ダーウェルがジョン・キャラダインに言うのよ。「いちいち立ち止まる男と違って女は流れる川なのよ」

トリコ　（よくわからぬのだが感心して）へぇぇ……。

彦造　川には滝もあるし渦もある。それでも止まらずに流れる。わかる？　それが女の生き方なのよ……。

トリコ　なるほど……。大変ですねトリコさんも。

彦造　別に大変じゃないわよ……。あんたは？　どうなのよその後。好きだってことぐらい言ったの？

トリコ　実は来週の休演日、お誕生日なんですよ初ちゃんの。

彦造　へえ。

彦造　昨日さり気なく聞いたら来週だって言うから慌ててしまって……。
トリコ　へえ。いくつになるの？
彦造　（怒ったように）いくつになるかなんていいんですよ！　知りませんいくつになるかなんて！
トリコ　なんで怒るのよ……！
彦造　だって大正何年生まれかなんて聞けるわけがないじゃないですか……！　まったく……！（不機嫌な口調のまま）何をあげたらいいですかね、お誕生日のプレゼント。
トリコ　そうね・・・彼女どんな色が好きなの？
彦造　聞けませんよそんなこと……。
トリコ　……好きな食べ物は？
彦造　聞けるわけないじゃない（ですか）。
トリコ　（遮って）聞きなさいよバカ。好きなんでしょ？　知りたいことといっぱいあるんでしょ？　だったら聞きなさいよ……！
彦造　はい……。映画に誘うのはどうでしょうね？
トリコ　いいじゃないの映画。イングリッド・バーグマンの新作やってるわ。
彦造　面と向かっては緊張してとても言えないので、電話で。
トリコ　ああ。いいんじゃない？
彦造　（少し言い難そうに）ちょいとだけ稽古の相手してもらっていいですか？
トリコ　稽古？

彦造　稽古前の稽古で恐縮ですけど、ほんの二、三分。
トリコ　いいけどさ。必要？　稽古なんて。
彦造　よろしくお願いします。（受話器を持つ仕草をして）「もしもし」。
トリコ　……。
彦造　「もしもし」
トリコ　……「もしもし」
彦造　「米田です。米田彦造です」
トリコ　「山吹トリコです」
彦造　山吹トリコじゃ駄目ですよ。鈴木初子。
トリコ　「鈴木初子です。この度は映画のお誘いありがとう」
彦造　まだ知らないんです初ちゃんは。これから誘うんですから。
トリコ　そうね、そうでした。「あらまあどうしたの彦造さん」
彦造　もっと初ちゃんぽい声で。
トリコ　（わざとなのか、初子らしくなく）「あらまあどうしたの彦造さん」
彦造　いやいや、いつも聞いてるでしょ初ちゃんの声。
トリコ　（わざと極端な声で）「あらまぁどうしたの彦造さん」
彦造　そんなヘンテコリンな声じゃないでしょう初ちゃんは！　真面目にやってください！
トリコ　（笑いながら）「あらまぁどうしたの彦造さん」
彦造　……。いいです、僕が初ちゃんやりますから。

トリコ　え……!?
彦造　（彦造なりの初子で）「もしもし、彦造さん？」
トリコ　……。
彦造　「もしもし彦造さん？」
トリコ　「彦造です」
彦造　（トリコが演じる自分も気に入らず）「彦造です」
トリコ　「彦造です」
彦造　（もうひとつだと感じているが、続けて）「初子です。どうしたの電話なんかしてきて」
トリコ　「うん……どうしても伝えたいことがあって……」
彦造　「伝えたいこと？　なんだろ……」
トリコ　「まず一つ……お誕生日おめでとう……」
彦造　「まあ憶えていてくれたのね……」
トリコ　「憶えていましたよもちろん……」
彦造　「嬉しい……」
トリコ　「よかったら今度映画に行きませんか？　イングリッド・バーグマンの新作」（突然やめて）これ意味ある!?
彦造　意味？
トリコ　なんのための稽古かよくわかんない！

台本を手にしたネジ子が、下手袖で聞いていた様子で姿を現す。

ネジ子　いいんじゃないかい、なかなか。

彦造　え？

ネジ子　八十二点。

彦造　（気まずく）ネジ子姐さん聞いてたんですか……？

ネジ子　トリコ後半もっと畳みかけていいんじゃないのボケを。

トリコ　そうですね。

彦造　後半って、前半から聞いてたんですか……⁉

ネジ子　ちょいとあたしがやって見せようか？

彦造　（今にもやろうとするのを制して）いえ、結構です。もう稽古始まりますし。

トリコ　これ、ネジ子姐さんとトーキー兄さんとで演ったらさぞかし面白いでしょうね。

ネジ子　え……そりゃ面白いわよ、あたしはともかく……トーキーさんは。

トリコ　（彦造に）見てみたかったわね。

彦造　（半分生返事で）はい……。

ネジ子　いくら面白くたって死んじゃった人とはもうできないからね。（去りながら）なんでも人間の死亡率は１００％だって言うから、気をつけないと。

彦造　気をつけます。

ネジ子　彦坊、初子ちゃんにも言ってやりゃいいんだよ。「ホレてるのはわかるけど死んじゃった人とはもうできないんだから」って。「僕で我慢してちょうだい」って。

彦造　え……。

ネジ子・トリコ　（笑う）

ネジ子、上手袖へ去った。

彦造　……。

トリコ　八十二点ですって。二人でキャバレーでも廻りましょうか。

彦造　トリコさん言ったんですか？

トリコ　え？

彦造　誰にも言わないって約束してくれたから思い切って話したのに。

トリコ　言ってないわよ。

彦造　じゃあどうして知ってるんですかネジ子姐さん。

トリコ　知ってるって何を？

彦造　ですから僕が、初ちゃんのことを……わざと言わせてるでしょう⁉

トリコ　（笑って）見てりゃわかるわよ誰にだって。初子ちゃん本人だってきっとわかってるわよ。

彦造　そんなバカな……！　わかってたら言ってくれるはずでしょう？

トリコ　なんてよ？「あんたがあたいのこと好きなのはとうにお見通しだよ」って？

彦造　あたいなんて言いませんん初ちゃんは！

トリコ　（笑って）もうちょびっとじゃない。応援してるのよみんな。あんたのことを。面白半分に。

彦造　面白半分じゃ

トリコ　（遮って）いいじゃないの面白半分だって。そりゃなかなか全力でってわけにはいかないわよ、みんな各々の人生があるんだから。

彦造　……もうちょびっとですかね……。

トリコ　もうちょびっとよ。頑張んなさい。

彦造　ありがとうございます……。

雑巾とバケツを持って初子がロビーへの出入口から来る。

初子　（二人に）お疲れ様です。

トリコ　お疲れ。（彦造に小声で）ナイス・タイミングじゃないの。レッツ・ゴー。

彦造　（トリコに小声で）はい。レッツ・ゴー。（初子に）床はもうさっき拭きましたよ……。

初子　いえ、さっき血が……。

彦造　血ですか？

初子　（拭きながら）ロビーに肩を刺された方がいたんです。テレビ局の方。

トリコ　そいでどうしたのその人。

初子　ちっとも痛くないと言って帰って行きました。
彦造　ええ⁉
トリコ　そう……。（と上手袖に戻ろうとして、小さく）あ、台本か。（と下手袖へ）

トリコ、身振りで彦造に「行け行け」と煽って去る。
初子は床を拭いていて気づかない。

彦造　手伝います。
初子　（拭きながら）大丈夫です、雑巾一枚しか持ってきてないし……。
彦造　ああ……楽しみですね新作。
初子　（拭きながら）ええ。稽古から見せてもらえるなんて本当にありがたくて……。
彦造　お客さんも増えましたしね……。
初子　（拭きながら）そうですね……。
彦造　僕が入った頃は客席ガラガラだったのに……。
初子　（拭き終えて）是也くんのお陰ですね……。
彦造　だいぶ、変わりましたよね、お芝居の、感じというか……鰯さんも南国さんもネジ子さんもアオタンさんも、あの頃と較べて出番だいぶ減っちゃったし……。
初子　仕方のないことなんじゃないですか？　是也くんのお客さんが沢山来てるんですから。
彦造　そうなんですが……こんなこと助造には絶対に言えませんけど、僕最近、調光室で観

初子　てほとんど笑わないんですよ……。

彦造　……。

初子　初ちゃんも何がどう可笑しいか、あまり話してくれなくなっちゃったし……。

彦造　……。

初子　あの頃が懐かしいです……。

彦造　仕方ないですよ……いろいろな時代があります……。

初子　そうですね……いろいろな時代が……。

彦造　ええ……。

初子　走さんは――多々見走さんは、面白かったんでしょうね……。

彦造　面白かったんだと思います、周りのお客さんみんな大笑いでしたから……劇場が揺れたのよ、まだ真新しかったこの劇場が……。

初子　すごいな……。

彦造　私はまだ若かったし……よくわかりませんでした……。

初子　よくわからないんだな、最初は誰でも……。

彦造　ええ……わからなかったくせに忘れられないんです。

初子　……。

彦造　(壁の時計を見て) さ、そろそろお稽古が。

初子、行こうとする。

彦造　（のを制するかの如く）初ちゃんは好きな色は何ですか？
初子　（面喰らって）え？
彦造　色です好きな。
初子　とくには……。
彦造　好きな食べ物は？
初子　お豆腐。
彦造　お豆腐。
初子　どうしてそんなこと聞くの？
彦造　知っておきたいんです、そのくらいのことは。
初子　（少し笑ってしまい）そう……。
彦造　初ちゃんは……初ちゃんは僕がどう思ってると思ってますか？　初ちゃんを。
初子　え……？
彦造　知っておきたいんです。初ちゃんが、僕が初ちゃんのことをどう思ってると思ってるのか。
初子　どう思ってるの……？
彦造　（想定外の返しで）え……!?
初子　どう思ってるんでしょう、彦造さんは私を。
彦造　いやいや僕が聞いてるんです。どう思ってると思ってるんですかって。とっくにお見

通しですか好きだって⁉

短い沈黙。

初子　お稽古が始まるわ……。（と行く）
彦造　（追って）初ちゃん、違うんです。初ちゃん。

初子と彦造、ロビーへの出入口から出て行く。
花道ののれんから座長と、神妙な表情の撫子（台本を持っている）が出て来る。

青木の声　逃げんのかラーメン屋！

上手袖からマルさんが来る。すぐに青木が来る。

マルさん　勘弁してくれよ！　とんだ濡れ衣だよ！
青木　見たんだよ俺は！　ちょうど寝返り打った時に見えたんだ！
マルさん　そんなことするわけないじゃない俺が。東々亭のマルさんが！
青木　抜かせ！　毎日腐ったみてえなラーメン食わせやがって！
マルさん　アオタンさん……

青木　なんだよ！
マルさん　俺はね、好きなんだよ、愛してるんだよ……！
青木　（ギョッとして）俺を⁉
マルさん　アオタンさんも、鰯ちゃんも、ネジ子さんも、南国ちゃんも、座長さんもママもデシコちゃんも、全員は言わねえけど三角座のみんなを！　愛してるの！　じゃなきゃこんなに毎日来ねえよ！
青木　おめえは出前で来てんだろう⁉　ベタついたこと抜かしやがって！
マルさん　悲しいよ俺はそんな風に思われて！

ケッパチが来る。

ケッパチ　（マルさんに）何どうしたの。
青木　この野郎が俺の目の前にあった鞄から財布を抜き取ろうとしてたんだよ！　見たんだ俺は！
ケッパチ　（青木に）抜き取ろうとした？
マルさん　してねえって！
ケッパチ　（青木に）抜き取ってはいないんですか？
青木　いねえけど抜き取ろうとしてたんだよ！
マルさん　なんでわかるの⁉

青木　わかるよ状態で！
ケッパチ　状態。（抜き取ろうとしている状態をやって）こういう感じですか？
青木　身体じゃねえ、心の状態！
ケッパチ　心の状態……⁉
マルさん　呆れ返っちゃう！（と行こうと）
青木　待てよ！
座長　盗ってねえならいいじゃねえですか。
青木　え……。
座長　例えるならですよ、俺もよくアオタンさんのことぶん殴ってやろうかと思いますよ。でもぶん殴ったことはねえ。それと同じでしょう。
青木　うん……。
座長　（楽屋に向かって大声で）さ、稽古始めるぞ！（と手を叩く）
マルさん　座長さん、その例えは違うよ。俺は盗ってねえばかりか、盗ろうとさえしてねえんだから。
座長　いいじゃねえかかばってやってんだから！　警察突き出すぞ！
マルさん　ええ⁉

マルさん、帰って行く中、ゾロゾロと人々（鰯、南国、ネジ子、トリコ、大和）が集まって来ている。

座長　そいじゃ頭から一回読み合わせて立つぞ。いいな。
皆　はい。
座長　ケッパチちゃんト書き頼んだ。
ケッパチ　はい。
座長　よしじゃあ行こう。せーの、はい。（手を叩く）
ケッパチ　（台本を読み上げて）「夜。赤ん坊のいる家庭。巨大なベビーベッドに長身の赤ん坊がいる。傍に母親。」
鰯　（以下赤ん坊で）「バブバブバブ。」
ネジ子　（以下母親で）「のぼるちゃんパパ帰り遅いでちゅねぇ。」
鰯　「バブバブ、遅いでちゅバブ。」
ネジ子　「どうして赤ん坊ってのはバブって言うのかしらねぇ。どういう意味なのバブって？」
鰯　「わからんでちゅバブ。」
ネジ子　（アドリブで）「沖縄にはハブっていう蛇がいるけどね」
ケッパチ　「玄関の（扉が開いて）」
鰯　（遮って）ちょいと待て。（ネジ子に）なんですか沖縄にはどうこうって。書いてないでしょうそんな台詞。
ネジ子　ちょいと入れてみたのよ。ほら、バブとハブが（似てるから）。
鰯　わかりますけどいらねえでしょう。

座長　いいから先行け。
　鰯　……。
ケッパチ　「玄関の扉が開いてこの家の主人が、会社の上司を連れて帰って来る。」
南国　（以下、父親で）「ただいまぁ。」
ネジ子　「おかえりなさい。（赤ん坊に）パパ帰って来ましたよ。」
　鰯　「（喜んで）バブバブ！」
南国　「部長をお連れしたよ。」
青木　（以下、部長で）「今晩は、お邪魔します、呆れ返っちゃう！」

「また言いやがった」と皆が感じる時間が一瞬あって――。

ネジ子　「（アドリブで）あら呆れ返られちゃった。（セリフで）いつも主人がお世話になっております。」
　鰯　「（喜んで）バブバブパパバブ！」
南国　「かわいいなぁバブバブ言って。（アドリブで）さっきまで楽屋で花札やってた男が」
青木　「おやおやキミのお子さんかい。ミッタァなくて（シャアねえや！）」
　鰯　（遮って）ちょいと待て。（南国に）なんだそれ、花札だなんだってつまらねえ楽屋落ち……。
南国　いいじゃねえですかこのくらい。

青木　そうだよ。先行こう。
鰯　アオタン……。
青木　さんづけしろって言ってんだろう……。
鰯　「ミッタァなくてシャアねえや」と「呆れ返っちゃう」はもうやめたんじゃねえんですか。やめたって言ったろ。あ⁉
青木　「やめた」じゃねえよ。「やめる」って言ったんだバカ。すぐにやめるよ次のを思いついたら。
鰯　次の……⁉
座長　鰯ちゃん。
鰯　（構わず）言ってみろよ次の、どんな候補があんのか……。
青木　わかんねえよまだ。（と言いながらも、やってみせて）「ひっくり返っちゃう！」
一同　……。
南国　同じじゃないですか。
青木　バカ全然違うよ！
鰯　おい、誰かこのじじいの口縫いつけろ。
座長　鰯ちゃん、よしない稽古中に。
鰯　すぐ終わりますから。衣裳係！　裁縫箱持って来い裁縫箱！
座長　縫いつけても構わねえからあとにしろ！（ケッパチに）先読め。ほら！
ケッパチ　「と、その時突然、赤ん坊の口の中からエルヴィス・プレスリーが現れて歌い始め

座長　る。」
　（プレスリーで）「♪ラブミー・テンダー・ラブミー・スィート」

　皆、歌の中、「?」となる。

大和　それ是也じゃないんですか？　プレスリー。
ケッパチ　あれ、是也は？
ネジ子　（何人かがキョロキョロと探す中）便所かい主役は？
座長　是坊なんだけどな、今回欠場することんなった。

　一同「!?」となる。

撫子　すみません……。
座長　（撫子に）おめえが謝るこたねえよ……やるしかねえじゃねえか今回は、是坊なしで。
撫子　（一同に）十日後には必ず戻って来ると。是也兄さんも本当につらそうで……。
座長　つらそうだ？　見え透いた嘘つくんじゃねえよ。
撫子　……。
座長　フフフ……ズラかりゃ出ずに済むか。そりゃそうだ……（トーンを変えて）ってわけだ。有谷是也は今回出ねえ。あいつがやる予定だった三役は振り分けて演ってもらう。プレスリーは俺、ポン引きは鰯ちゃん、なんだかわからねえ王子様は南国ちゃん。三人がやる予定だった役どころはこの際男女関係なく割り振ってなんとか乗り切る。いいな！

一同、それぞれの思いで、にわかに活気づく。
当然ながら撫子と、おそらくその兄の大和は複雑な心境で――。

大和　（撫子に）是也の奴、なんでまた急に――。
撫子　自分が出ると芝居が台無しになるからって言って……。

次の鰯のセリフの途中で彦造が入って来る。

鰯　わかってんじゃねえか……あいつただのバカかと思ったら意外とわかってるよ……。よし、特別だ。今日は多少のアドリブには目を瞑ってやるよ。
青木　よぉし！
ネジ子　まずいよアオタンさんやる気出しちゃったよ。
南国　ほどほどにお願いしますよ。
青木　わかってるよ！　ひっくり返っちゃう！
ネジ子　新しいのやる気だよ。

座長　急に活気づきやがった……。

彦造、様子を見ていたが、トリコに耳打ちする。その様子に気づいた誰かが「?」と思い、その「?」はほどなく全員に伝染する。

トリコ、座長のそばへ行き、彦造からの耳打ちを、やはり耳打ちで伝える。

一同　……。

座長　みんな聞いてくれ……。この度、彦坊の奴が、念願叶って初子ちゃんと映画を観に行くことになった。

彦造　(ひどくうろたえながらトリコに)なんで言っちゃうんですか!

トリコ　初デートおめでとう!

皆から一勢に拍手や「おめでとう」の言葉が飛び交う。

彦造　(嬉しく)……ありがとうございます!……やりました!　僕、やりました!

鰯が『東京の屋根の下』を歌い出し、すぐに全員の手拍子と大合唱になる。

♪東京の屋根の下に住む　若い僕等は幸福者

日比谷は恋のプロムナード　上野は花のアベック
なんにもなくてもよい　口笛吹いてゆこうよ
希望の街　憧れの都　二人の夢の東京

歌の最中に初子が入って来る。

初子　!?

彦造、初子を手招きして自分の隣に。

彦造　（歌終わって、再び拍手と歓声の中）ありがとうございます……！　初ちゃんと……初ちゃんと映画を観に行きます……！

初子　（微笑んで）……。

「何観るんだ!?」「おまえは映画じゃなくて初ちゃん観るんだろ!?」「手ぇ握れよ!?」
「しくじるんじゃないよ色男」等々、皆の反応（野次）あって――。
彦造、感極まった様子で、不意に皆に背を向ける。

初子　え……？

座長　泣いてんのかおめえ……。

急激に溶暗。

第四場

字幕「四ヶ月後　昭和三十三年　夏」

三角座の面々が、公演のために宿泊している長野の旅館。ロビーの一角。

上手が建物への出入口と駐車場、下手は大浴場に通じる。

上手側がバー・コーナーに、下手側にはソファー（五人ほどが座れる）等が置かれている。中央に階段。十段ほど上って、上手へ入ると客室に通じる廊下が続く。下手側の奥には池があり、鯉が泳いでいるらしいが、観客には見えない。

下手端にみやげ物屋。上手の端に公衆電話。

夜である。八時頃か。

傍に置かれたラジオからノスタルジックなムードの、一九三〇〜四〇年代のジャズが流れている。

ソファーで（喫煙したり酒を飲みながら）くつろいでいるのは、座長、蛇之目、斉藤、ママ。（今、席をはずしている根岸のグラスがある。）その奥、一段高くなったエリアで、煙草を吸いながら将棋をさしている南国と大和。蛇之目と斉藤以外は旅館の浴衣を着ている。

蛇之目　（葉巻を手にし、懐かしむように）なにしろ街が極彩色（ごくさいしき）だったわよ……オールカラー。鮮やかで色とりどりで……看板やのぼりや、道ゆく女の子が身に纏ってる着物や……そりゃもう眩しいくらいだった……。今はモノクロね。どこもかしこもドス黒くって……。映画はモノクロからテクネカラーになったけど現実の世界はその逆ね……。

蛇之目、葉巻をひと吸いし、煙を吐く、

蛇之目　あの頃は浅草が全盛でさ……新宿で頑張ってるのはムーランと三角座ぐらいだったよねえ？

座長　そうだねぇ……。

斉藤　ムーラン・ルージュが閉まったのが――。

座長　昭和二十六年だから、もう七年も前ですか……。

斉藤　そうか……まさに孤軍奮闘ですな。

座長　幾度も思いましたよ「今度こそおしめえだ」って……いやぁ、振り返るとね、起こった出来事が多過ぎてとてもじゃないが抱えきれねえ……。是也の奴が出演しなくなってからまたもやジリ貧ですがね……こうして今年も恒例の長野公演に呼んでもらえたし、テレビ中継までしていただける……。三角座がなんとか持ちこたえられているのはこの、お二方（蛇之目とママ）のおかげですよ。私ゃ算盤まったくだだから。

蛇之目　こんな時だけ持ち上げたって何も出ないわよ。

人々、少し笑う。

斉藤　いやいや、まだまだ頑張ってください。笑いは文化ですよ。庶民が笑えなくなったら国は滅びます。

蛇之目　だったら今後もますます協力してもらわないとね。

斉藤　こちらこそ。我々テレビ局がモノクロの世の中をまたカラーに変えてみせますよ。（力強く）日本はこれからどんどんよくなります。国民がこんなにシャカリキになって働いてる国はない。（と飲み物をひと口）いやしかし、いい御関係だ。

座長　誰と誰が？

斉藤　蛇之目さんと座長さんと、奥様が。

階段、客室の方から青木（やはり浴衣姿）が来る。

青木　お疲れ。

皆、口々に「お疲れ様」を言う。

斉藤　お疲れ様です、その節は……。
青木　（斉藤に）……誰だっけあんた。
斉藤　いえ、わからなければいいんです。
青木　（バー・エリアへと向かおうとし）浪曲やってねえかな……。（と、置かれたラジオのチューニングをいじる）

ラジオのチューニング・ノイズと、いくつかの断片的な放送が聞こえる。
根岸が、トイレを済ませたのだろう、ハンカチで手を拭きながら来る。

根岸　（嬉しそうに）長野でも水洗トイレなんですね。それだけで気分がいいですね。
青木　（根岸に気づいて）あ！
根岸　ああ、お疲れ様（でした）。

青木、根岸の言い終わりを待たずに猛然と逃げ去る。

根岸　え……？
大和　（笑って）逃げることたねえのに。
南国　元気だな九十過ぎて……。
根岸　（驚いて）九十ですか……⁉

座長　九十はいってねえだろいくらなんでも。九十っていったら江戸時代の生まれだぜ……⁉

南国　いずれにしてもあの妙な機敏さが腹立つって話ですよ。

大和　ですよね。

斉藤　（根岸に）あの人俺のこと忘れてやんのよ。あれだけぶん殴られといて忘れるかね……。

座長　あの夜はびっくりしましたよ……。おでん屋で飲んでてふと見たら、顔腫らした青木単一が、隣で泣きながらはんぺん食ってんだから……ガキの頃浅草で観てた青木単一が……。

南国　（座長に）俺たちもびっくりしましたよ。座長さんがあんなアクの強えじいさん連れて来て……。

蛇之目　（座長に）あたしだってびっくり仰天よ。あんなの入れるって言うから。なんの得もないんだから。

座長　（笑いながら柔らかく）ま、そう言うない。

大和　（根岸もしくは斉藤に）あの人、放送中のカメラの前に出て行こうとしたんですって？

斉藤　出て行こうとしたんじゃなくて出ちゃったんですよ。一瞬ですがね。料理番組に。アップで。

大和　（イメージして）驚いたでしょうね、観てた人。

斉藤　テレビ初出演でしょう。

南国　最初で最後の出演ですよ。
大和　間違いなくそうですよ。
座長　バカ、アオタンさんにだってまだ未来はあるよ。あんだけ元気なんだから。先週だったかも、電車で痴漢して捕まったって自慢しやがんのよ。

一同、少し笑う。

根岸　（斉藤に）え、なんの話してたんですか？
斉藤　え？　ああ、（座長たちを示して）いい関係ですねって話をね――別れた奥様と現・御夫婦が、こうしてビジネス・パートナーとして手を組まれるというのは。
根岸　ああ。
座長　いいんだか悪いんだか。板挟みですよ、日夜両方からドヤされっ放しで。
蛇之目　人を鬼婆みたいに言わないでちょうだい。（ママに）ねえ。
ママ　（ウトウトして聞いていなかった）え……？
座長　寝てるよ。

人々、少し笑う。

大和　座長さんはママとデキちゃった時、蛇之目さんとはもう離婚してたんですか？

座長　え……。

南国　バカ……。

大和　あれ、俺聞いちゃいけねえこと聞いちゃいました？

蛇之目　（笑って）別にいいわよねえ、そんな大昔のこと。

座長　いいけどもったいねえだろう、あいつなんかに聞かせるのは。

大和　あれ。

斉藤　根岸くん、そろそろ行こうか。明日朝早いし。

根岸　はい。

座長　（蛇之目と二人、立ち上がって）何卒よろしくお願いします。（眠っているママに）おい。

斉藤　いえ結構ですよ。（起こさずとも、の意）お疲れなんでしょう。大変なんでしょ、座長の奥様ってのは、いろいろと。

蛇之目　（斉藤に）期待してますよ。面白い芝居に録ってちょうだいね。

座長　そりゃ無理な注文だよ、面白ぇかどうかはこっちの責任だから。

蛇之目　そうだけどさ、あの、あれの性能ってのもあんだろ。

座長　あれ？　カメラ？

蛇之目　じゃなくて

斉藤　カメラマン？

蛇之目　じゃなくてほら、こういう――。（と宙に両手で四角を描く）

大和　（まさかとは思うが）……テレビ？

蛇之目　テレビ。テレビの性能ってのも。

そんなことよりも、人々は、「テレビという言葉が出て来なかったの?」と感じる時間、一瞬あって――。

斉藤　……頑張ります。初めての舞台中継ですからね、ハリキらないと……。
座長　いや、本当、感謝してます。しかし去年から全部観てもらってたとはね……。
斉藤　ええ、もう、面白いから。
大和　(茶化すように)トリコ姐さんを観に来てたんですよね。
斉藤　(笑って)キミはもう……!
蛇之目　今朝部屋の窓開けて深呼吸したら空気がきれいでね……。
座長　(唐突な話題の変更に)え、ああ……。
蛇之目　東京タワーが見えて……。
座長　(冗談なのかと)東京タワーは見えねえだろう。長野だぜ。
蛇之目　(真顔で)ああ……だけど見えたのよ。
座長　……。

短い沈黙。

斉藤　それでは、明日よろしくお願いいたします。

人々「よろしくお願いします」と言い合う。

蛇之目　（斉藤が伝票を持つので）あ、ちょいと。
斉藤　いえいえ、ここはこちらで。
蛇之目　そうかい？　ごちそうさん。（座長に）ちょいとお出迎えしてくるよ。
座長　（「え？」と感じながら）ええ……。

斉藤、根岸、蛇之目、去った。

大和　お見送りですよね……。
ママ　おかしいのよ蛇之目さん最近。
座長　なんだ、起きてたのか。
ママ　おかしいのよ。
南国　おかしいですよね。さっきもそこで俺に「いらっしゃいませ」って深々と頭下げて
……。
座長　え……。
大和　あとさっき「テクネカラー」って言ってましたよ「テクニカラー」を。「テクネ」って。

南国　それはただの言い間違いだろう。
大和　……にしてもおかしいですよね。
ママ　おかしいおかしい言うない。
座長　だって間違いがあったらこわいですよ。あの人は大金を動かしてるんですから。もし何か（あったら）
ママ　（突如ママに向かって一喝）うるせえ！
座長　……。

浴衣姿のマルさんが階上から来る。

マルさん　（思わず立ち止まって）……。

座長、小型の金庫を掲げる。
ラジオが嫌な音のノイズを発している。

座長　（ママに、尋常ではない語気で）こうして放映料だって前払いで頂戴できたじゃねえか……え⁉　それもこれもあの人がキッチリ交渉してくだすったからだろ⁉　違うか⁉　そういうことをわかった上でおかしいなんて抜かすのかてめえは！　あの人がいなかったら三角座なんかとうに潰れてなくなってらぁ！（大和に）ラジオ切れ！（ママ

に）違うか⁉

ママ　……。

座長　違うかって聞いてんだ！

大和がラジオを止めた。

ママ　違いません……。

座長　もっと高い音で言え！

ママ　（まったく変わらず）違いません……。

座長　（自省したのか、少し笑って）おんなじじゃねえか……。（ズッコけてみせて）おんなじじゃねえか……。

一同　……。

座長　大和。

大和　はい。

座長　やってみろ。

大和　え。

座長　おいママ、「違いません」って言ってやれ。二回目の、高い音の方。

ママ　……「違いません」。

大和　おんなじじゃねえですか。

座長　（批評するような間が一瞬あって）……南国ちゃん。
南国　いいですよ俺は。
ママ　「違いません」。
座長　（ママに）いい、俺が言う。「違いません」。
南国　いいですって。
座長　「違いません」。
南国　（メチャクチャ本域で）おんなじじゃねえですか！　なんなんだよ！
座長　（南国から学べとばかりに）どうだ大和。
大和　精進します……。

大和、マルさんに気づく。

大和　なんだよ……。
マルさん　（ニヤニヤしながら）なんでもねえよ。風呂入りに来たんだよ。風呂ぐらい入りたい時に入るよ、自費で来てるんだから。（他の人たちに）お疲れ様。長野公演もあっという間に中日（なかび）だね。今日も面白かった。やっぱり長目先生の昔の作品は安心して観られるね。途中、なんだか野次が凄かったけど。（反応薄く）……入って来ます。

マルさん、浴場の方へ去った。

青木が戻って来る。
皆、「あ、戻って来た」と思う。

青木　帰ったかあいつら。
座長　帰りましたよ。
青木　野蛮人だよ、テレビ屋なんてみんな……今日の温泉ぬるくなかった？
座長　まだこれからです。
南国　アオタンさん、湯の中で体洗うのやめてくださいよ。
青木　バカ、どうせ汚ねえんだよ温泉の湯なんて。
南国　キンタマばっかり念入りに洗うし。
青木　（南国の言葉にウケたように笑う）
南国　笑ってやがるよ……。

青木、マガジンラックの雑誌を手にして、バーのカウンターに座る。

座長　（笑って）ママ。
ママ　はい……。
座長　何時今。
ママ　（腕時計を見て）もうじきですね……八時二十分です。

座長　ああ……。大和。

大和　はい……。

座長　先生方いらしたら、しばらくそのまんま車ん中で待機していただくよう段取りつけとけ。

大和　はい……。

青木　（聞いていて）そうか……今日かい。

座長　今日ですよ。

青木　ああ。早い方がいいよ。（奥に）おい、酒！

バーテンがカウンターの中に来る。

バーテン　いらっしゃいませ。

青木　えーとね、ラムミルク。あとあれ、ミルク。

バーテン　かしこまりました……。

青木　笑えよ。ラムミルク頼んでんのにミルクも頼んでんだぞ。可笑しいだろ。

バーテン　はあ。

青木　はあじゃねえよ。ひっくり返っちゃう！

バーテン　ハハハハ。

とバーテンが笑いながら引っ込むので、

青木　（その背に）おい、嘘だぞ！　ウイスキー。

人々、そのやりとりを、見るともなしに見ていたが――。

南国　……まだ知らねえんですよね？　是也は。
座長　知らねえよ。知らせたらまた逃げられちまうよ。
南国　彦造は？　納得してるんですか？
座長　（歯切れ悪く）納得はしてるさもちろん。してるけど、今日だってことはまだ言ってねえ……気が変わられでもしたら面倒だからな……旅公演中はねえと思ってるんじゃねえか？
南国　言ってねえって、だってもう――。（と腕時計を示す）
座長　家族の承認は後でとりつけりゃいいって先生も言ってくださってるんだ。南国ちゃん、くどいようだけどな、俺は――俺とママは是也のためを思って、それになぁ大和、撫子のためを思って
南国　（遮って）わかってますよ。それは……。
大和　（南国に）妹の奴ももう、さすがにクタクタで。
南国　わかってるって言ってんだろう。俺がいつ反対したよ。

大和　あいつみんなの前では明るく振るまってますけど、いざ俺と二人になると「愛情ってなんなんだろう」なんて抜かすんですよ、虚ろな目ぇして……。

南国　聞きたくねえよ兄妹間の内輪話なんて、くだらねえ。

座長　（蛇之目たちの去った方を見て）遅ぇな、何やってんだ蛇之目さん。（ママに）ちょいと見て来る。

ママ　あたしも行きます。

ママ、金庫を置いたまま行こうとする。

座長　おいおい！　金庫。

ママ　あ……。

ママ、引き返して金庫を手にし、座長の後をついて去る。

入れ替わるように浴衣を着た鰯が池の向こうからやって来て、以下、しばらく餌をやりながら池の鯉を眺めているが、誰も気がつかない。

大和　続きやりましょう、将棋。

南国　もういい……。

大和　え……。

青木　（カウンターの方を向いて雑誌を読み上げ）「喜劇人の子息を襲う不幸の連鎖。エノケンの長男鉄一くん二十六歳が結核で亡くなった。大田区雪ヶ谷にあるエノケン宅の前に集まった黒山のような人だかりは、彼の息子の死を悼むためにやって来たのではない。会葬にあつまるスターやタレントたちの素顔を見ようと押し寄せた野次馬である。」

バーテン　（ウイスキーを置いて）お待たせいたしました。（次のセリフの中で去る）

青木　（反応せず）「鉄一君の棺が門から出てきた。その棺に手をかけて、エノケンは嗚咽した。すると見物人から、ドッと笑い声が起こった。『やァ、エノケンが泣いてやがら……』。昨年の、トニー谷の長男正美ちゃん六歳が誘拐された事件でも」これ去年の雑誌じゃねえか……。（椅子ごと振り向いて）喜劇人が世間様から同情買うようになっちゃおしまいだよなあ……ミッタァなくてシャアねえや……。（鰯に気づいて）鰯が鯉に餌やってら……。

南国と大和、青木の言葉で、初めて池の前の鰯の存在に気づいた。

大和　お疲れ様です。

鰯　うん……。

南国　あれ、兄さんもう風呂入ったんですか……？

鰯　とっくだよ。

南国　早（はえ）えな……。

鰯　早くねえよ別に。
青木　（鰯に）ぬるかったろ風呂。
南国　（鰯に）だってついさっき川っぺり歩いてたでしょ、背広着て。女待っててんのかと思って声掛けなかったんですよ。
鰯　（南国に）川っぺり？
青木　（鰯に）風呂ぬるかったろ。
鰯　（南国に）人違いだろ。
南国　あれ、そうか。
青木　（鰯に）ぬるかったろ風呂。
鰯　（遮って青木に）うるせえ……！　いちいちぬるいだ熱いだなんて感じながら風呂入ってねえよ……！　鯉驚いて逃げちゃったよ！

鰯、池の前からソファーの方へ移動してくる。

南国　是也……もうじきですよ。
鰯　ああ……。
南国　（どちらかというと軽く）彦造は今日だって知らされてねえみてえで。
鰯　（苦笑して）可哀想に、兄貴なのに……。
南国　ええ、座長さんが……。（口をつぐむ）

是也が撫子を伴って、階上からやって来たのだ。

鰯　おう……。

南国・大和　(面喰らったような様子で顔を見合わせたり)

是也　(鰯に)なんの用ですか……。

鰯　いや……別になにってこともねえんだけどさ。たまにゃ話そうかなと思って。

南国　兄さん——

鰯　わかってるよ。

撫子　(軽く微笑んで)お疲れ様です。

鰯　(撫子に)少しは何か食ってんのこいつ?

撫子　(微笑んだまま)いえ……。

是也　こいつの持ってくるものなんか危なっかしくって。

撫子　(微笑んだまま)何が危なっかしいのさ……。

是也　(鰯に)今日、客席から野次を入れたことを怒ってるんですか……?

鰯　ああ、忘れてたよそんなこと……まあ座んなよ。

是也　あまりにつまらなかったもので。(他の人にも)すみません。

南国・大和　……。

鰯　座れって。なんか飲むか。

是也　飲みません。何を入れられるかわかったもんじゃありませんから。

周囲の人々は、すでに是也のこのような状態及び物言いには慣れているようで――。

鰯　入れねえよ何も。
是也　飲みません。
鰯　（高圧的でなく）わかったよ、座れよなんでもいいから。（人を呼んで大声で）おい、これ下げろよ！

是也と撫子、ソファーに座る。
すぐに「失礼いたしました」と言いながらバーテンが来て、空いたグラス等を下げる中――。

是也　（バーテンの作業をじっと見ていたが、不意に）これ、この人が当たり前の顔して、グラスに残った飲み物を片づけながら全部飲み干したら面白ぇですよね。
バーテン　はい……？
撫子　（バーテンに、苦笑して）すみません。気にしないでください。
是也　っていう風にこいつに言われるんですけど、この人は
バーテン　ああ、ありがとうございます。（是也のイメージである）

是也　なんて言って気にせず飲み続けるんですよ。氷も食っちゃうんです。
撫子　（やはり笑顔を崩さず）よしなよ。
是也　（少し強く）どうして、面白ぇだろ。
鰯　面白ぇよ。
是也　（鰯の言葉が意外で、かつ嬉しく）……面白ぇですよね。

バーテン、不信そうな面持ちで去っていく中――。

鰯　俺は面白ぇよ。だけどどうだろうな。少ねえんじゃねえかな、面白いと思う人間は。
是也　（笑顔、消えて）……。
鰯　今日の舞台がつまらなかったって？
是也　つまらなかったですね……。
鰯　（笑って）そんなこわい顔すんなよ。おめえはつまらなかった。だけど客は笑ってたろ。大笑いだったよな。あいつらには面白かったんだよ。おめえにはつまらなくても。
是也　そんな話をするために呼んだんですか？
鰯　いやいや、なりゆきなりゆき。おめえの台本、たった二本しかねえけど――今んとこな――俺は面白ぇと思ったよ。とくに二本目。ありゃすごかった……客席しぃんとしてたけどな……。
周囲の人々　……。

鰯　すごかったよあれは……嘘じゃねえよ。本当にそう思ったんだよ。

是也　……。

鰯　なに？　信じない？　今できるだけ信じてもらおうとして真険なマナザシを向けたんだけど……。

是也　信じます……。

鰯　うん……。（やや、リラックスしたトーンで）俺も入院中さ、毎日笑いのこと考えてるだろ、何か可笑しいことねえか、もっと違う笑いはねえか……そうすっとさ、こうやって暗ぁい病院でベッドに俺が横たわってる――そのことが一番可笑しいんじゃねえかな、なんて思えてくるんだよ……。（笑う）

是也　（も笑って）俺も、ヒロポン打ってる時に笑えて仕方なくなるんですよ……。

青木　（それまでずっと聞いていたが）それはヒロポン打ってるからだろ⁉

鰯　死にかけのじじいが言うことなんか気にすんな。

青木　誰だって歳はとらあ！　おめえらだってあっという間だよ！　本当にあっという間だぞ！　ビックリするぞ！

鰯　俺たちゃあんたみてえに無駄使いしねえよ人生を！

青木　（忌々し気に、黙る）……。

是也　あの人がああやってあそこに座ってることや、こんな風に鰯兄さんと俺が話してることや、ここに長椅子があることや――そういうのが一番（いっちばん）可笑しいんですよね、本当はあざとくなくて……。

鰯　（笑って）あざとくなくてか。そうかもしれねえな……（撫子を指して）大方の人間にゃこんな風にキョトンとされるだろうけどな。（撫子に）撫子、そんな目で見るなよ俺たちを……キチガイを見るような目で。切ねえなあ。

撫子　（やはり笑顔を作って）見てませんよ……。

鰯　そりゃ俺だってヒロポンぐらいはたしなんでるけどさ——節度をもってな——だけど勘違いすんな、こりゃポン中同士の戯言（ざれごと）なんかじゃねえよ……。（是也に）なあ。（撫子に、是也のことを）こいつぁたいした奴だよ……。

撫子　（必死に笑顔を作ろうとするが）……あたし、もうよくわかりません……。わからない……！

そう言い始めた時には笑顔だった撫子が泣いている。

鰯　泣いちゃったよ。

是也　（グロテスクなものを見るような目で撫子を見ながら）ほっときゃいいんですよ、嘘泣きです。

鰯　（笑って是也に）もうちっとやさしくしてやれよ。（大和にきびしく）兄はなにしてんだ兄は。こういう時の兄じゃねえのか。

大和　（むしろキツく）人前で泣くなって言ったろバカ！

鰯　（大和を小突いて）叱ってどうすんだバカヤロ。

大和　……（撫子に）来いよちょっと。
撫子　（泣きながら）いいよ。
是也　行けよ！　行って兄妹で俺の陰口叩いてろ！
撫子　叩かないわよ陰口なんか！
大和　（撫子を無理矢理立たせて）いいから来いって！
鰯　（大和を再び小突いて）乱暴に扱うな、か弱い女性を。
大和　いて。

撫子、突然自ら走って階上へ――。

大和　おい！
是也　（その背に）てめえの考えてることなんか全部お見通しだぞ！　俺を嗅ぎ回るんじゃねえよメス犬が！

撫子、行ってしまった。
短い間。

大和　（鰯に）追いかけた方がいいですかね……？
鰯　知らねえよ！

大和　（鰯に、絶叫するように）わかんねえんですよ俺にも！　ちくしょう！（泣いているような）

鰯　……。

南国　大和、おめえそろそろ。

大和　（腕時計を見て）ああ……。（チラと是也を見ると、相手も自分を見ているので）待ち合わせだよ、友達と。

是也　勝手にしてくださいよ……。

大和　……。

大和、鰯と南国に軽く一礼して駐車場の方へと去った。

鰯　兄貴にやらせたかったなぁ、おまえの台本(ホン)。あんなの読んだらさぞかし大喜びで演ったろうに。

是也　え？

鰯　兄貴、多々見走。畳みかける。生きてりゃ間違いなく今頃すげえ役者になってたよ。畳鰯なんかにゃとても敵わねえ役者にさ……。

是也　そうですか……。

鰯　うん……話せてよかったよ。

鰯、是也に握手の手を差し出す。

是也　なんですか……？

鰯　握手だよ。普通握手だろ人がこうやったら。

是也　……。

是也と鰯、握手をするが、すぐに是也、手を引っ込める。

鰯　なに、どうした。

是也　今何かに噛まれたような……。

鰯　（笑って）え？

是也　手の中に何か仕込んだんじゃないですか……!?

鰯　仕込まねえよ、ソ連のスパイじゃねえんだから。ほら。（と手をひらいて見せる）

是也　チクリとしたから……（と階上へ向かって行く）

鰯　荒れてっかな。気をつけるよ。じゃあな。

是也　はい。

南国　部屋に戻るのか？

是也　どうしてですか？

南国　別に。少しは食えよ。死ぬぞ。

是也　（小さく）うるせえ……。

南国　……。

是也、去った。

青木　（突如）ぶん殴ってやりゃいいんだよあんな小僧！　大体なんでついて来てるんだいあいつは。台本(ホン)を書いてるわけでもねえ、出演してるわけでもねえ、いる意味ねえじゃねえか！

鰯　喋るなよ誰も聞いてねえんだから。あんたはそうやって、誰も聞いてねえのに喋って、誰にも聞いてもらえねえまま間もなく死んで行くんだよ……。

青木　な、なんで俺にはそんな残酷なんだよ……！　是也の野郎にはあんなに甘くしやがって……。

鰯　残酷ですよそりゃ、こんなことやってる人間は。あんただって残酷でしょう。

青木　残酷じゃねえよ俺は。なぁ南国、さっきだって俺、表にいた犬をなぁ、撫でてやってたよなぁ。

南国　撫でながら「美味そうだなぁ」って言ってたじゃないですか。

青木　言ったけど食ってねえもん。（鰯が階上へと向かうので）なんだよ行っちゃうの⁉

鰯　行っちゃうよ。

このあたりで、湯あがりのトリコとネジ子が浴場の方から来る。

南国　（その背に）あとで大和の部屋でどうですか、オイチョカブ。

鰯　気が向いたら。

南国　ええ……。

鰯　やんなっちゃうな。

南国　はい？

鰯　……必死んなってあざとくあざとく客を笑わせて、笑ったら笑ったで「こんなもんで笑ってやがらぁ」と蔑みながらまた笑わせて……そうやっておまんま食ってくしかねえんだな俺たちゃ……。

南国　ああ……。（としか言えず）

鰯、去った。

ネジ子　（鰯を見ていたが、南国に）また何かカッコイイこと言ってたね。

青木　そうなんだよ。完全に主役の言い草だよなありゃ。今も南国と言ってたんだよ、主役きどりだって。

南国　言ってねえでしょそんなこと。なんで嘘つくんだよ！

青木　（構わず女性二人に）どこ行ってたの、風呂？

トリコ　風呂ですよ。（南国に）あいつ帰ったの？（斉藤のことだ）
南国　あいつ？
ネジ子　プロデューサーさん。テレビ。
南国　ああ。今さっき。
トリコ　そう。髭なんか生やしちゃって……。
青木　ぬるかったろ風呂。
トリコ　いいえ。（ネジ子に）ねえ。
ネジ子　熱かったぐらいよね。
青木　え？　じゃ女湯が持ってちゃったのかな……。
ネジ子　何をですか。
青木　だから温度を。（確認するように）女湯だろ入ったの。
二人　（口々に）「あたりまえじゃないですか」「女湯ですよ」（とかなんとか）
青木　（冗談なのか）いや、俺は両方入るから。（と何か得意気な顔）
ネジ子　（南国に）どう対応すればいいんだい……!?
南国　しなくていいですよ対応。
青木　キチガイ病院の先生たち、もうそろそろ来るってよ。
ネジ子　え、ああ……。
トリコ　（ネジ子に）あまり見たくないですね、連れて行かれるとこ。
ネジ子　見たくないわよ。

青木　なんで。平気だよ。俺の周りで出て来れた奴なんか一人もいねえぜ、キチガイ病院入って。
トリコ　会話になってませんから。
青木　キチガイ病院てのは監獄みてえな（もんで）
トリコ　（遮って）キチガイ病院キチガイ病院言わないでくださいよ……。
南国　座長さんが言うにゃあ「優秀な先生だから、治療が終わりゃあきっと出てこれる」って話でしたよ……。
青木　いくら偉い先生だからって相手はキチガイだぜ⁉　さっき聞いてたろおまえ、あいつの言ってたこと。
南国　聞いてましたよ。
青木　完全に狂ってたじゃねえか。
南国　あんただって狂ってるだろう。
ネジ子　よしなよ！　狂ってんだみんな。
トリコ　狂ってるわよ。狂ってるから楽しいんじゃないの！
ネジ子　あんたはたくましいよ！
トリコ　サンキューベリマッチョ。

二人、笑う。

青木　おかしくねえよなにも。

トリコ　あ！　来た来た。ヤッホー。

出迎えに行った彦造が初子を伴ってやって来たのだ。彦造は初子の荷物を持ってやっている。

初子　（笑顔で）こんにちは……。

トリコ　こんにちは。随分と遅かったじゃないの。（彦造に）あんた出てったの六時前でしょ。

彦造　すれ違いで、なかなか初ちゃんと会えなくて。

初子　（やや、話をそらすように）ああ、涼しい……。

彦造　はばかりも水洗だよ……！

初子　うん。

彦造　そこんとこに小さな池があって鯉が泳いでいるんだよ……！

初子　うん。

彦造　ここがおみやげ屋さんで

ネジ子　（遮って）知ってるよ初子ちゃん毎年来てんだから。

彦造　ああそうか……。

初子　うん。あたし汗かいちゃったんでお部屋に荷物置いたらお風呂いただいちゃっていいかしら。

彦造　いいよいいよ。いただいちゃいなよ。賛成。
初子　じゃあ……。（と自分で荷物を持つ）
彦造　（階段を上って行く初子に）荷物持つよ。
初子　大丈夫よ。
彦造　いいよ持つよ。
初子　平気。
彦造　案内するよ。２０６だよね。
初子　（トーン変わって）わかるから。
彦造　（気圧されて）……うん。じゃあ、お風呂入ったら花火一緒に見よう。庭からよく見えるんだって。
初子　（曖昧に）うん……。

初子、階段の踊り場に飾られた掛け軸を見つめる。

初子　この掛け軸、昔から変わりませんね……。
ネジ子　え、ああ……変わらないね……。

初子、客室の方へと去った。

彦造　……ちょいと疲れちゃったのかな……予定より一本早い列車で来て、こっちに来たらいつも行くっていう喫茶店で本を読んでたそうなんです……。

トリコ　喫茶店？　アルプス？

彦造　さあ。知りません。

ネジ子　アルプスよ。

南国　ここんとこ行ってねえなアルプス。（ネジ子に）トーキー兄さんによくつき合わされましたよ。店にかわいらしい女の子がいるって言って。

ネジ子　ハイジだろ。

トリコ　ハイジ。（彦造に）初子ちゃんがつけたのよ。

彦造　そうですか……。

彦造、落ち込んだような様子で、バー・エリアの前の小さなソファーに座る。

トリコ　なに、どうしたのよ。

彦造　トリコさんたちは、僕の知らない初ちゃんを知ってるんだなぁと思ったら、なんだか急にさびしくなりました……聞いとけばよかった喫茶店の名前……！

トリコとネジ子、顔を見合わせて笑う。

青木　アルプスでもヒマラヤでもいいよ。南国、ビリヤード行くか。
南国　賭けるなら。
青木　ＯＫＯＫ。（二人、行きながら）何賭ける？
南国　何って金ですよ。
青木　金はねえよ。万頭（まんじゅう）は？
南国　いらねえよ万頭なんか！　そんなら、勝ったら思いきり殴らせてください。
青木　（「どうしてそんな要求を？」というニュアンスで）構わねえけど誰をだよ？
南国　あんたをだよ！

南国と青木、そんなことを言いながらビリヤードがあるらしい方へ去った。

彦造　初ちゃんは何を飲むんですかね、アルプスで……。
トリコ　そんなこと、これからいくらだって知れるんだからあたしに聞かないだっていいじゃないの。
ネジ子　そうだよ。
トリコ　お楽しみはこれからよ！
彦造　（怒ったように）早いとこ全部知りたいんですよ……！
トリコ　（嬉しそうに）なんであたしには怒るのよ。
ネジ子　（煙草に火をつけながら、見ずに）甘えてるんだよ。

彦造　甘えてなんかいませんよ。お母さんじゃないんですから。

トリコ　よしてよ、お姉さんて言ってちょうだい。（池の方へ行きながらネジ子に）この人池の鯉全部に名前つけてるのよ。（彦造に）ね。

彦造　はい。全部で二十六匹です。

ネジ子　へえ……。

トリコ　この、頭が黄色いのがドン兵衛だっけ？

彦造　ドン兵衛は口のとこだけ赤い奴です。頭が黄色いのは亀吉です。

トリコ　亀吉？

彦造　餌をやっても、いつもそいつだけ寄って来るのが遅いんですよ。可愛いのろまの亀吉です。

彦造、鯉たちを愛おしむように池の中を覗き込む。

トリコ　なるへそ。この黒い斑点があるのはなんて名前だっけ？

彦造　おまめです。おまめはどうやらドン兵衛のことが好きなんですよ……。

トリコ　どうしてわかるのよ。

彦造　見てればわかりますよ。（おまめに）な、おまめ。

トリコ　（声を潜めて）……したの？

彦造　え？

トリコ　プロポーズ。するんでしょ？　長野にいる間に。やめたの？
彦造　しますよ。しますけどまだです。そんな、来る道で――
トリコ　早いとこしちゃいなさいよ。善は急げ。
彦造　ええ……念のため手紙も書いてきたんです。（とポケットから出す）あと、指輪も。
トリコ　（声が大きくなって）指輪……!?
彦造　（ネジ子に聞こえまいかと）シーッ！　また誰かに知られたら全員で大騒ぎになっちゃうんですから！
トリコ　（小声で）あんた指輪なんか買えたの……!?
彦造　アメ横でテキ屋さんから――。
トリコ　指輪があるんならこっちのもんよ。ヒョイヒョイついて来るわよ。
彦造　そんな、トリコさんじゃないんですから。
トリコ　女なんてそんなもんなのよ。見せてよ指輪。持ってるんでしょ？
彦造　（ポケットからケースを出すが）あげませんよ……!?
トリコ　もらわないわよ。（からかって）ね、渡すとこ稽古しましょうか、ね、あなたが初子ちゃんで。
彦造　しません……！
トリコ　わかったから早く見せてよ。
彦造　（開ける）
トリコ　わあ……小さい……。

彦造　仕方ないじゃないですか……（嬉しそうに指輪を手にとって）小さいですけど、テキ屋さんは本物のダイヤモン（指輪を池に落とし）あっ！
トリコ　ああ！
彦造　（池に向かって）あ、バカ！　亀吉！　駄目だ亀吉！

短い沈黙。

トリコ　食べちゃったわよ！　亀吉素早いじゃないの！
ネジ子　何事だい……!?

彦造、池の中に飛び降りる。

トリコ　亀吉が指輪を！（飛び降りる）
ネジ子　（大声で）ちょいと！　ちょいと誰か！

彦造とトリコ、池の中で亀吉を捕まえようと激しくバシャバシャやっている。
旅館の番頭とバーテンが来る。

番頭　（状況を見、ギョッとして）何をなさってるんですか！　よしてください！

彦造が、頭の黄色い鯉を抱えて姿を現わす。
ほぼ同時にトリコも。

彦造　（番頭たちが来た方へと向かいながら）吐かせてください！
番頭　はい⁉
彦造　食べたもの全部吐き出させてください！
番頭　どうしてですか⁉
トリコ　高価なダイヤの指輪をあの子が食べちゃったのよ！　吐き出さなかったら弁償しても
らいますからね！
番頭　ええ⁉

人々従業員通路に引っ込み、そこにはネジ子だけが残される。

ネジ子　……。

ネジ子、階上の掛け軸（「猛虎図」の虎が犬の狆（ちん）になったような画が描かれている）を見据え、階段を上って行く。
ラジオノイズと共に照明変化し、ネジ子の見る幻影なのだろうか、みやげ物屋の障子に、ありし日のトーキーのシルエットが映る。

ネジ子　……。

トーキーの声　（以下、嬉しそうに）それな……その掛け軸。それ見ながらくだらねえ話したよなネジ子ちゃんと。憶えてるかい……？

ネジ子　（以下、やはり嬉しそうに）憶えてるさ、もう二十年も経つんだね……ついこの間のようだよ……。

トーキーの声　ネジ子ちゃんが怒鳴り込んで来たんだ、アルプスに。

ネジ子　怒鳴り込んでなんかいないわよ。トーキーさんが時間だってのに小屋入りしてないから、そいで……

トーキーの声　俺は嬉しかったんだぜ、そうは言えなかったけど。ネジ子ちゃんがまだ焼き餅なんか焼いてくれるんだと思ってよ。

ネジ子　焼き餅だったのかね……。

トーキーの声　焼き餅だろ。

ネジ子　若かなかったけど若かったんだね、あんたもあたしも……。

障子に映っていたシルエットが消え、同時に照明が変わると、ネジ子の回想だろう、二十年ほど前のトーキーが出て来るので、そこは二十年前のそこになり、ネジ子も二十年前のネジ子になった。ラジオノイズも消えている。

若きトーキー　たいして若かねえよ。あのコ先週で二十七だぜ。
若きネジ子　(呆れて) まさか誕生祝いまでしたのハイジの？
若きトーキー　誕生祝いったって、そんなもなぁべつに、その時たまたまアルプスにいたからよぉ、
「へえ、今日誕生日なんだ」ってそういう——
若きネジ子　たまたまって毎日通ってるじゃないの。
若きトーキー　(突如開き直り、逆ギレ気味に) いいじゃねえか誕生日ぐれえ祝ってやったって！
若きネジ子　なにさ……トーキーさん、一緒にいた頃だってあたしの誕生日なんか一度だって祝ってくれたためしがないじゃないの。毎年違う日に「おめでとう」って言ってきて。
若きトーキー　言わねえよりいいじゃねえかよ。
若きネジ子　まるっきり違う日に言われたって (嬉しかないわよ)
若きトーキー　(遮って) 覚えづれえんだよネジ子ちゃんの誕生日は。(ギョッとするネジ子に) 文句言うならそんな日に産んじまった親に言えよ…… (ブッという音と共に尻を押さえ) 屁ぇ出ちまったよ。
若きネジ子　(思わず笑ってしまう)
若きトーキー　(笑ってくれたことが嬉しく) 可笑しいかい。いくらだってするぜ屁ぐらい。もう一発いくか。
若きネジ子　いいわよ、まったく……。
若きトーキー　これ、狆かな。

若きネジ子　え。

若きトーキー　この掛け軸。犬コロだろこれ。狆だよな。

若きネジ子　狆なんじゃないの？

若きトーキー　オスかな、メスかな。

若きネジ子　オスでしょチンなんだから。

若きトーキー　だよな。チンだもん。メスならマンだよ。ってこたぁよ、スーパーマンってのも実際のところはスーパーチンなんだな。

若きネジ子　なによ実際のところって。

若きトーキー　レマン湖に現れた巨大な珍魚をスーパーチンがよ、

見れば若き日の番頭（まだ下足番か？）がいた。

若きトーキー　（ほんの少し気まずく）あ。

若き番頭　（笑顔で）お疲れ様です……。

若きネジ子　ごめんなさいキレイな旅館で汚ないおじさんがチンだのマンだの。

若き番頭　いえ。毎年楽しみに拝見してます。

二人　「どうも」（とかなんとか）

若き日の番頭、去る。

若きネジ子　こっちでは下ネタはほどほどにしてほしいって座長さん言ってたわよ、東京の客と違うんだからって。どうせ蛇之目の姐さんに言われたんだろうけど。

若きトーキー　ネジ子ちゃん、下ネタで笑えなくなったらおしまいだぜ？　下(しも)の話で庶民が大笑いしてるうちは日本が平和な証拠だよ……。

若きネジ子　それはそうね……。

若きトーキー　そうさ。

若き日の番頭がマジックと色紙を手にして戻って来た。

若き番頭　（トーキーに）あの、おサインいただいてもよろしいですかね……。

若きトーキー　もちろん。モロチン。（ネジ子を見て笑う）

若き番頭　（ネジ子苦笑する中、トーキーに）すみませんお疲れのところ。

若きトーキー　いえいえ、（色紙に視線を転じて）あ、これ走と鰯の。

若き番頭　はい。ありませんかね、書くとこ、面積的に。

若きトーキー　いや、面積的にはなんとか、この辺のスミに。

若き番頭　すみません。

若きトーキー　（色紙のスミにサインしながら）山屋トーキー。

若き番頭　（初めて名前を知ったかのように）山屋トーキーさん。

若きトーキー　はい。今初めて名前わかったでしょ。（と色紙を返す）

若き番頭　ああ、いえ、はい。ありがとうございます。（ネジ子に）よろしいですか？

若きネジ子　いいですけど、あたしもですか。

若きトーキー　（しまった、のニュアンスで）ああ、そうか。

若きネジ子　（色紙を見て）わ。これどこに書こう。

若きトーキー　わかってりゃ空けといたんだけど。

若きネジ子　わかっててよ。

若きトーキー　（放屁する）

若きネジ子　オナラで返事しない。

若きトーキー　返事じゃねえよ。

若き番頭　ハハハ……息がピッタリだ。

若きトーキー　仕込んだんですよ。

若きネジ子　仕込まれました。でもどうしようこれ。

若き番頭　ですよね、面積的に。

若きネジ子　面積的にあれだから裏に書いちゃえ。え。

若き番頭　（裏に大きくサインしながら）服部ネジ子ぉ。

若きネジ子　ありがとうございます……。

若きトーキー　飾る時困っちゃうよね。

若きネジ子　（番頭に）どっち表にして飾るの？

若きトーキー　そりゃ表を表にして飾るだろう表なんだから。（番頭に）ねえ。

若き番頭　いえ、とくに飾ろうとは。しまっておきます。

若きトーキー　ああそうなんだ。（ネジ子も同時に同様のリアクション）

若き番頭　（ハタと）そうか、お二人、金色夜叉を演られてた方だ……！

若きネジ子　そうそう。この人お宮、あたし貫一。

若きトーキー　よくわかりましたね、あんなすごい化粧してるのに。

若き番頭　（ひどく嬉しそうに）いえいえ、あすこ面白かったです。あすこ一番笑いました。

若きトーキー　（嬉しく）ああそう。

若き番頭　はい。そうかそうか、金色夜叉の。失礼いたします。どうぞごゆっくり。

番頭、去った。

喜びを噛みしめるような、若き日のトーキーとネジ子。

若きネジ子　一番面白かったって……。

若きトーキー　嬉しいね、一番面白かったってのは……。

若きネジ子　嬉しいね。

若きトーキー　うん、あとでもう一回合わせとくか。

若きネジ子　そうね。

若きトーキー　うん……。上手くなったよなネジ子ちゃん。
若きネジ子　なによ急に。
若きトーキー　上手くなったよ。手がつけられねえくらい下手クソだったのに。
若きネジ子　あいすみませんでした。
若きトーキー　いやいや……俺も頑張らねえとよ。明日も張り切っていこう。
若きネジ子　はい……。
若きトーキー　よしよし、張り切っていこう。

ラジオのチューニング・ノイズと共に、若きトーキー、消える。

ネジ子　もうひとつ張り切れないんだよ……なんでかね……だめだねこんなじゃ……。

初子が階上（客室）から来る。

初子　あ。
ネジ子　お風呂かい。
初子　はい。
ネジ子　そう、張り切って。
初子　え？

ネジ子　（ハタと）張り切らなくていいんだよお風呂は。ごゆっくり。
初子　はい……。

花火が打ち上がる音。

ネジ子　あ、始まったよ花火。見に行くんだろ。
初子　（歯切れ悪く）ええ……。
ネジ子　彦坊ここの花火初めてだから感動しちゃうんじゃないかい。
初子　そうですね……。

ネジ子、客室の方へと去る。
再び花火の音。

初子　（花火が見えるらしく）……。

初子の周囲を花火の照り返しが染める。
花火が続く中、初子、浴場の方へ去って行く。
ややあって、初子、誰か（の存在）に押し戻されたかのようにして戻って来る。
やがて見えるのは、彼女を押し戻した多々見走の姿——。

初子　どうして居るんですか……。
走　会いたかったからさ……。
初子　さっき会ったじゃないですか……！
走　三、四十分だろ。
初子　ですから明日また時間を作りますって言ったでしょ……!?
走　待てないね明日までなんて……。
初子　帰ってください……！　誰か来たらどうするんですか！
走　ほんの少しだよ。
初子　ほんの少しだって来ちゃいますよ！　皆さん泊まってるんですから！　人に会いたくないと言ったのはあなたじゃありませんか！
走　まあ待ちなよ、アルプスじゃ俺の話ばっかりして君のこと聞けなかったからさ……君はどうしていつまでも三角座なんかに居座ってるんだい？　男がいる……？
初子　（即答で）いません……！
走　本当に？
初子　本当よ……。
走　（安堵したように笑って）そう……。ねばって良かったよアルプスで……昨日も一昨日も一日中いたんだ、公演中に君が必ず来ると思って……。

走、やさしく初子の頬を触る。

花火が上がる。

初子　……。

走　公演は順調？　客は笑ってる？

初子　さっき着いたばかりですから……。

走　うん。弟は相変わらずかい……？

初子　……鰯さんと話したいですか……？

走　いいや。あいつに会わせる顔なんかないよ。ほら、今の俺はちっとも面白くないだろう。

花火。

初子　……。

走　戦時中に喜劇人の慰問公演を観てね……つくづく嫌になった……俺たちみたいな人殺しを集めて、何やってんだこいつらと思ったよ……グロテスク極まりなかった……。以来、何を観ても何を聞いても、ニコリとも笑えない……。

初子　私に会わせる顔はあるんですか……？

走　がっかりしたかい……？

走、初子の肩に手をやり、顔を覗き込むような――。
初子、走の手をそっとどける。
花火。

走　……。

初子　走さん……私はずっと想像してました……あなたがもし生きているとしたら、きっと外地で誰か他の女(ひと)と結婚して、その女(ひと)との間に子供が生まれて、そこで別の人生を送っているんだと……。きっとあなたも、私が別の人生を歩んでると想像してるに違いない、そう思ってました……。だからあたしはあなたに現地の家族がいるって聞いた時、ちっとも驚きませんでした……。(きつく、問い詰めるように) だけど、あなたは一体どういうつもりで生きて日本に、あたしに会いに戻って来たんです⁉　今頃になって一体何がしたいんです⁉　あたしにどうしろと言うんです⁉

走　(まったく動じずに) どういうつもりか?　何がしたいか?　俺はもう東京へも外地へも戻らない。笑いはもうやらない。金はない。君と新しく人生をやり直したい。だからついてきてほしい。あとは何もわからない。以上。

花火。

初子　あたしがついて行くと思いますか……？

二人、人が来る気配を感じる。

初子　！

初子と走、浴場の方へと引っ込む。
先ほど引っ込んだ従業員通路から、トリコと、鯉を抱えて意気消沈した様子の彦造が戻って来る。

トリコ　なんで諦めちゃうのよ。お腹かっさばいて中探しゃあ見つかるかも知れないじゃないの。

彦造　そんなことできるわけがないじゃないですか！　こいつ吐くだけでもあんなに苦しそうだったのに……！　トリコさんになんか指輪見せなきゃよかった……。

彦造、鯉を池の中に放つ。

彦造　（池に向かってしみじみと）悪かったな亀吉。

トリコ　亀吉だって可愛がってくれたあなたのためなら喜んで命を捧げたわよ。

彦造　トリコさんはどうしてそんなに適当なんです。
トリコ　そう言ってたもの、さっき亀吉。
彦造　言ってっこないじゃないですか！　プロポーズは中止します。
トリコ　ええ⁉
彦造　（落ち込みながら）中止です。指輪あってこそのプロポーズです。またお金貯めて買い直しますよ。テキ屋さんまたいつでも来いって言ってくれたし。
トリコ　指輪なんかなくたってプロポーズにはあんたと初子ちゃんがいれば充分でしょう。役者は揃ってるんだから。真心で勝負よ。
彦造　だってさっきトリコさん、指輪があればヒョイヒョイついて来るって——初ちゃんは真心でもヒョイヒョイついて来ますか⁉
トリコ　楽しようとしちゃ駄目よ。
彦造　だけどヒョイヒョイついて来てくれるに越したことはないから……。
トリコ　（幻滅したように）あなたいつの間にそんな小ズルい考えをもつようになっちゃったの……？
彦造　え……？
トリコ　あんたは初子ちゃんが喜ぶ顔を見たいんでしょ？
彦造　見たいです。
トリコ　だったら頑張りなさいよ！　あんたの精一杯の真心で初子ちゃんをニッコニコにさせてやんのよ！

彦造　……はい。頑張ります……！

花火が打ち上がる。

彦造　あ……。（と見とれて）キレイですね、花火……。
トリコ　キレイね……。
彦造　（失態を嘆くように）ああ……初ちゃんと見るはずの花火をトリコさんと見てしまった……。
トリコ　いいじゃないの一発や二発。ケチンボねぇ。
彦造　トリコさん。
トリコ　なによ。
彦造　（あらたまって）感謝してます。ありがとうございます。
トリコ　（少し照れて）フラれないように頑張んなさいよ。（自分の浴衣の匂いを嗅いで）魚臭い。あんたも着替えないと初子ちゃんヒョイヒョイ逃げてくわよ。（と階上へ）
彦造　それは困ります……！（と階上へ）

初子一人が下手から戻って来る。

初子　……。

初子、庭の様子を確認するように、池のそばに佇む。
初子、足元に落ちている手紙（封筒）に気づく。

初子　？

初子、手紙を拾い上げる。
先ほど彦造がポケットから出した手紙だ。
初子、封筒に書かれた文字を呟くように読みあげる。

初子　「僕の大好きな鈴木初子様へ」……。

初子、封を開けて中の便箋を取り出し、目を落とす。

初子　……。

花火。
ややあって、上手から、座長（綿菓子を食べている）、蛇之目、ママ（金庫を持っている）が戻って来る。

その他、露店で買ったとおぼしき、お面、風車等を手にした三人、和気藹々と――
三人共、初子の存在には気づいていない。

座長　そしたらその客、今の今まで「握手してください」なんて言ってヘコヘコしてたクセに「最後の場面にはもうちょいとペーソスが滲み出るといいですね」なんて抜かしやがんのよ、客のクセに。てめえは鼻に油が滲み出てるってんだ。なにがペーソスだい。

蛇之目　森繁の悪影響かね、『夫婦善哉』。

ママ　（蛇之目に）あたしはたまにはちょいと泣かせてみるのもいいんじゃないかって言ったんですけどね。『瞼の母』みたいな。

座長　（蛇之目に）『豚の母』だったら演ってもいいって言ったんだよ。養豚喜劇だな、屠殺場を舞台にした。

ママ　なんですか養豚喜劇って。

座長　おめえは算盤はじいてりゃいいんだよ……。

ママ　そうですね……。

蛇之目　（二人に）どうだい、もう一杯だけ。

ママ　私たちはあれですけど。（と座長を見る）

蛇之目　もう二杯だけ、ね。

座長　増えてるよ早くも。強いね相変わらず。じゃあつき合うか。ちょいとだけ失礼。（ママに）先生たちいらしたか、駐車場見てくる。

ママ　はい。

座長、再び上手へと去る。
彦造の手紙を読んでいた初子、このあたりまでに池の奥へと去っている。
ママと蛇之目、バー・カウンターに座る。

蛇之目　（奥に大声で）ねえちょいと、お酒！

バーテンが来る。

バーテン　いらっしゃいませ。
蛇之目　さっきと同じの。あんたも？
ママ　はい。
バーテン　かしこまりました。

バーテン、去る。

蛇之目　『豚の母』か……あたしもずーっと昔万ちゃんに『走れメロス』を演ったらどうかって進言したことがあるよ。

ママ　へえ……。

蛇之目　そしたらあの人『走れ虫唾』なら演ってもいいって言うのよ。

ママ　『走れ虫唾』。

蛇之目　虫唾が走るんだって、虫唾っていう主人公がひたすら。

ママ　ああ。

蛇之目　変わらないね……昔っから年がら年中しかめっ面してくっだらないこと考えてるんだもの……病気だね。

ママ　あたしはそれでいいと思ってるんですよ……。

蛇之目　ママさんは本当偉いと思うわよ。

ママ　いえ……。

蛇之目　あたしとあの人が暮らしてた頃なんて——ホラあたしもこういう性格だからすぐ嚙みついちゃうだろ？　毎日喧嘩だよ。あんたはちゃんとあの人を立てるってことをするから。

ママ　楽ちんなんですよ……あたしにゃ何か新しいもんを作り出そうなんて頭はありませんし……決められたことを淡々とやっつけてく方が性に合ってるんですよ……。

ビリヤードがあるだろう方向から、青木が、逃げるようにして戻って来る。南国が追ってくる。

青木　なんだよ！　追っかけてくんなよ！　謝ったじゃねえか！
ママ　なんだい、またモメ事かい。いい加減におしよ！
青木　ほら怒られた。
ママ　あんたもですよアオタンさん！
蛇之目　一体何がどうしたんだい、言ってごらん。
青木　こいつのここんとこ（胸のあたり）にあるケロイドを可哀想だって言ったら急に殴ってきやがったんだよ！
蛇之目　駄目だよ南国ちゃんのケロイドを可哀想だなんて言ったら！
ママ　（蛇之目に）言ったんですよちゃんと。（青木に）言ったじゃないですか！（一気呵成に）この人は子供の頃家が火事になって落語家のお父さんも芸者のお母さんも兄弟もみぃんな焼けて死んじゃって、この人だけが生き残ったの。この人にとっちゃ唯一残った家族みたいなもんなんだよ南国ちゃんのケロイドは！　覚えた⁉
青木　ああ、大体……。悪かったよ。よく覚えとく。
南国　……。
青木　（階段を上りながら）南ケロって覚えりゃいいんだな。南ケロ。

南国、再び青木に向かって行く。
青木、わーわー言いながら階上へ逃げ去って行く。
ママ、そんな二人を、呆れたように、しかし笑みをもって見送って――。

ママ　なんやかやと波風立ててばかりの連中ですけどね……みんな何がしたいかって言やあ人を笑わせたいだけなんですよ……かわいいと思いますよ、私は。

蛇之目　今の三角座ののれんを守ってるのはママさんだよ……あたしゃそう思ってますよ。これからも万ちゃんと三角座をよろしくね……。

ママ　こちらこそ……。

バーテンが酒を運んで来る。

バーテン　お待たせいたしました……。

蛇之目　ありがと熊ちゃん……。

バーテン　……熊ちゃんではありませんが。

花火が打ち上がる。

蛇之目　(その音に反応してバーテンに) まただよ……疎開に来てまで空襲に遭うとは思わなかったね……。

バーテン・ママ　……。

蛇之目　どうせ日本は負けるよ。サッサと負けちまえばいいんだ……。

バーテン　さようでございますね。

　　　バーテン、引っ込んでいく。

蛇之目　（奥に向かって）東京の観客はね熊ちゃん、空襲警報が鳴ると一旦小屋を出て避難するけど、解除されりゃまた戻ってきて続きを観るんだよ。そいでまた笑うんだ。すごいことだと思わないかい熊ちゃん。またゲラゲラ笑うんだよ。万ちゃんその度に感動して涙ぐんでるんだよ。

ママ　蛇之目さん……。

蛇之目　（今、ママを発見したかのように）何しに来たんだい……。

ママ　え……。

蛇之目　あたしの後ついて来たのかい……。

ママ　しっかりしてくださいい蛇之目さん……。

蛇之目　この泥棒猫……。

　　　ママ、身の危険を感じ、後ずさるようにしてバー・エリアの外へ。
　　　花火が上がる。

ママ　……。

蛇之目　他人の亭主にちょっかい出しやがって……あたしが泣いて引き下がるような女だと思ったら大間違いだよ……！
ママ　蛇之目さん！　しっかりしてくださいよ、どうしちゃったんですか……！

蛇之目、突然ママにのしかかるようにして首を絞める。
花火、激しく。
ほどなく座長が戻って来て事態を発見する。

座長　何してんだ！（と引きはがそうとする）
蛇之目　（なおも絞める）
座長　よせ！　よしなさい！

座長、蛇之目をママから引きはがす。

座長　（ママに）大丈夫か……！
ママ　（苦しそうにむせている）
蛇之目　（呆然と）……好きなのかい万ちゃん……そんな汚ならしい女のことが……。
座長　（蛇之目を振り返り、慄然と）……。
蛇之目　はっきり言っとくれよ、どうなんだい……!?

ママ　（座長に）急にこうなったんです……普通にお話してたのに……。
座長　（ママに、やや小声で）おまえは落ち着きなさい……。
蛇之目　ごまかさないでちょうだい。コソコソ会ってるのはわかってるんだよ……。
座長　何言ってんだい。この人はいつも差し入れしてくださる常連のお客さんだよ。藤崎物産で経理をやってらっしゃる方だ。
ママ　……。
座長　秀子。コソコソっておまえ、会計の相談に乗ってもらったらどうかって言い出したのはおめえの方じゃねえか。
蛇之目　それはそうだけど……。
座長　そうだよバカ。ほらちゃんと俺の目を見ろよ……（強く）もっとちゃんと見ろ！　俺がおまえを裏切ると思うか秀子……？　え……⁉
蛇之目　万ちゃん。あたしこわいんだよ……こわいんだ……戦争が終わって、今にお客さんの笑い声がピタリと止まりゃしないか……そしたらあんたも笑わなくなるよ……きっと誰も笑わなくなるよ……。
座長　そりゃウケねえ時だってあるよ。
蛇之目　そんなこと言ってるんじゃないんだよあたしは。
座長　（強く）わかったよ！　わかったから、今日のところは帰ろう。
蛇之目　……。（何も言わずに頷く）
座長　（ママに、笑いはせず）あいすみませんでしたね、とんだ誤解で……。

ママ　いえ……これからも応援してます……。
座長　……ありがとうございます。（蛇之目に）さあ行こう。

少し前から、階上、客室の方から浴衣姿で赤ら顔をしたケッパチが来ている。
座長、蛇之目の肩を抱いて、出入口の方へ去って行く。

ママ　……。
ケッパチ　あの
ママ　（ドキリとして振り返り）
ケッパチ　いいですか……？　済みました？
ママ　何が⁉
ケッパチ　いいえ、何がかは。今通りかかったら上が結構なことになってるんですけどいいんですかねぇ……。
ママ　何が。
ケッパチ　アオタンのじいさんがションベン漏らして、顔ビショビショなんですよ。
ママ　またかい。知ったこっちゃないよそんなこと！（ハタと）なんで顔がビショビショなんだい⁉
ケッパチ　南国兄さんがアオタンのじいさんの足首を持ってこうやって、窓からぶら下げてるんです。

ママ　（ものすごく驚いて）え⁉

ケッパチ　よもや手を離したりはしないと思いますけど、万が一離したら落ちますからね頭から。下敷石なんで、いいのかなぁと思って。

ママ　（慌てて行きながら）いいわけないだろう！　死ぬよ！

ケッパチ　そうなんですよ。顔がもうションベンで。

ママ　あんた、話す順番が、駄目！

ママとケッパチ、階上、客室の方へと去って行く。
先ほどママが持ってきた金庫がカウンターの上に残されている。
マルさんが浴場の方から戻って来る。

マルさん　（誰もいないのか、という様子で）……。

マルさん、赤電話に行き、十円玉を入れてダイヤルする。イライラしながらコールを待つ。相手は出ないようで――。

マルさん　（ちくしょう！　というように乱暴に受話器を置き、苦渋の表情で）……。

マルさん、客室へ戻ろうとした時、カウンターの上の金庫が目に入る。

マルさん　⁉

マルさん、周囲を見やると金庫に近づき、再度誰も見ていないことを確かめてから、ダイヤルを回そうとすると、蓋が「どうぞ」とばかりに開く。

マルさん　（ギョッとし、金庫の中いっぱいに詰められた札束を見て）……。

奥から初子が戻って来る。
マルさん、札束を懐に掻っ込むように入れ始めた刹那、奥で自分を見ている初子に気づく。

初子　⁉

マルさん、動けず、札を手にしたままの状態で、何事もないかのような語気で以下の台詞を口にするが、内心の動揺が少しずつ声を大きくしていく。

マルさん　よお……来てたのかい初ちゃん。
初子　何してるのマルさん……。

マルさん　（答えず）いつ来たんだい。

初子　さっき。何してるの。それ劇団の金庫でしょ⁉

マルさん　（答えず）長目先生やっぱり昔書いた台本の方が面白えな。大ウケだよ。

初子　戻しなさいよお金！

マルさん　観ながら初演を観た時のこと思い出してさ。走ちゃんが演った役を鰯ちゃんが演ってんだよ。

初子　……戻しなさい、誰にも言わないでおいてあげるから。

マルさん　（札を金庫に戻しながら）座長としちゃあ昔の台本（ホン）なんかやりたくなかったんだろうけどな。本当に面白いもんてのは時代を越えるんだよ。（蓋を閉める）

初子　……座長の奥さんの部屋から盗んだの？

マルさん　いやいや、あったんだよここに。

初子　（疑って）どうしてこんな所に金庫があるのよ。

マルさん　知らねえよ。

初子　返して来なさいよ。

マルさん　……。

初子　マルさん……！

マルさん　……初ちゃん頼むよ。

初子　……。

初子、金庫を持つと階段を上って行こうとする。

マルさん　（その背に）店が潰れそうなんだよ……。

初子　……。

マルさん　崖っ淵なんだよ。向かいの定食屋がデマ流しやがってさ、ウチが腐ったシナチク食わせて集団で食中毒出したなんていう。今ウチ、客ちっとも来ねえんだよ。借金まみれで、取り立て屋もうろついてんだ。今も店に電話したけど誰も出やしねえ！

初子　（強めの語気で）マルさん――

マルさん　（一瞬にしてひるみ）だからってていけないことはいけないよ。ただ、初ちゃんには、初ちゃんだけには事情をね、わかっていてほしいなって……。

初子　そんなに困ってるのになんでこんなところに遊びに来てるの？　お金はどうやって工面したんです？

マルさん　（突如、激昂したように）ラーメン屋は遊んじゃいけねえのかよ！　おい！

初子、何も言わずに去る。

マルさん　……。

マルさん、中央通路を去って行こうとした時、是也が階上に姿を見せる。

マルさん　おうポン中……昼間の野次、おまえだろう……。

是也　それがなんだい。

マルさん　……どいつもこいつも！

マルさん、去って行く。

是也　……。

花火が打ち上がる。

是也　！

花火を見る是也の表情、みるみる軟化し、笑顔になる。
続けざまに打ち上がる花火を見つめて佇む是也。
階上から彦造が来る。

彦造　なんじゃ……ここにおったんか。みんなおまえんこと探しとったぞ。

是也　知っとる。

彦造　そうか……。
是也　キレイじゃな……。
彦造　うん、キレイじゃな……。
是也　子供の頃よくやったな花火……。
彦造　やったな……裏の土手で……。
是也　兄（あん）ちゃんは蛇花火が好きじゃったな……。
彦造　好きじゃったな……（今見える花火を見つめながら）だいぶ違うな蛇花火とは。
是也　あたりまえじゃ。

二人、笑う。

彦造　どうじゃ、調子は。
是也　あんまり良くない……。
彦造　そうか……。
是也　俺、病院に放り込まれるんじゃな……。
彦造　え……？
是也　ええんじゃ隠さんでも。
彦造　（無理に笑って）放り込まれるっておまえ……。
是也　その方がええのかも知れん……。

彦造　東京に戻ったらどうしたらええか一緒に座長さんに相談しよう。な。
是也　そうじゃな……。
彦造　うん。
是也　さっきな。
彦造　ん？
是也　鰯兄さんが誉めてくれたんじゃ。
彦造　何をじゃ？
是也　俺の書いた台本。
彦造　（ひどく意外で）鰯兄さんが？　ホントか。
是也　ホントじゃ。
彦造　そうか……鰯兄さんが……嬉しかったろ……。
是也　うん、とても……。
彦造　そうか……よかったな……。
是也　（嬉しそうなまま）兄ちゃん、俺はただのポン中なんじゃろか……？
彦造　え……？
是也　そいだけじゃないような気がするんじゃ……笑いの病じゃ……。

花火。

彦造　それは才能っちゅうんじゃ……。病と違う。
是也　……。
彦造　ずーっと昔、おまえと二人で父ちゃんと母ちゃんの墓参りに行った時、墓石に青蛙が
　　　おったの憶えとるか……？
是也　青蛙？
彦造　おったんじゃ。墓石にペターンと貼りつくようにして、蛙が。
是也　憶えとらん……。
彦造　憶えとらんか……まだちんまい頃じゃったからな……。おまえ、その青蛙とにらめっ
　　　こするっちゅうて――
是也　ああ。したなぁにらめっこ。
彦造　憶えとるか……。
是也　思い出した……なんで俺は蛙とにらめっこなんてしたんじゃ？
彦造　蛙の笑ってる顔が見たいちゅうて。
是也　へぇ……。
彦造　じゃけど何べんやっても蛙の勝ちじゃった……。何べんやってもおまえ、吹き出して
　　　しもうて。おまえはこいつを負かすまで帰らんちゅうて……。
是也　うん。存外に強かったな、蛙。惨敗じゃった。
彦造　兄ちゃんにはようわからんかった。なんでおまえが笑ったのか。今もわからん。
是也　あいつが強かったからじゃ。

彦造　……おまえはあんなちんまい時分から笑いの研究をしとったんじゃな……。兄ちゃんにはわからん研究じゃ。才能じゃ。

是也　才能かのぉ……随分しんどい才能じゃのぉ……。

初子が階上から来る。

初子　……。

彦造　（気づいて）あれ。お風呂これから？

初子　うん。

彦造　てっきりもう入ってるのかと——

初子　荷物の整理をしてたら遅くなっちゃって。ごめんなさい、急ぐね。

彦造　いいよ急がなくても。ゆっくり入っておいでよ。花火二時間はやってるって。

初子　うん、ありがとう。（是也に）こんばんは。

是也　こんばんは。

初子　是也くんも舞台観てるんでしょ？

是也　ええ。今日も。

初子　そう。楽しみ。（彦造に）じゃ入ってきちゃう。

彦造　うん、ごゆっくり。

初子　うん。

初子、浴場の方へと去った。

彦造　（笑顔で初子が行った方を見ている）……。

是也　結婚するんか……？

彦造　（ドキリとして）え……!?

是也　したらええ……。

彦造　……そう思うか？

是也　したいんじゃろ？

彦造　したいにきまっとるじゃろが。

是也　じゃったらしたらええ。

彦造　はい……。まだわからんけどな……プロポーズしてみてじゃ。まだわからん。

是也　兄ちゃんの人生じゃ……。

彦造　助造……。

是也　なんじゃい。

彦造　兄ちゃんを三角座に誘ってくれてありがとう。感謝しとる。おまえが誘ってくれんかったら、みんなとも会えなかったし、初ちゃんとも結婚できんかった。

是也　まだわからんのじゃろう？

彦造　まだわからんのじゃけど。

是也　うん……。

彦造　……一応子供の名前は考えてあるんじゃ。

是也　（驚いて）もう子供の名前（考えてんのか!?）

彦造　（かぶせて）一応じゃ。もし男の子じゃったら、初子の「初」と彦造の「彦」で

是也　はっぴこか。

彦造　はつひこじゃ！　なんじゃはっぴこって。そんな名前つけたら学校でいじめられるわい！

是也　女の子じゃったらなんて名前にするんじゃ？

彦造　問題はそこなんじゃ。初子の「初」に子供の「子」で初子はどうかとも思ったんじゃが、そいじゃ初子ちゃんとおんなじじゃろ？　よく外人で親とおんなじ名前の子供がおるけど紛らわしいんじゃなかろうか思って。かと言って彦造の「造」に子供の「子」で造子じゃ象の子供みたいじゃ。となるとあとは彦子しかないんじゃが、ひここちゅうんは——どうしたんじゃ？

是也が、自分の身体を掻きむしるような、身体についた何かを払うような仕草をしていたのだ。

彦造　助造……。

是也　……虫がおるんじゃ……。

彦造　虫……？

是也　しつこうてかなわん……ここは虫だらけじゃ……旅館の連中の差し金で、虫が俺にばかり集まってくるんじゃ……！

彦造　（やさしく）何言うとる……。どれ、兄ちゃんが見てやる。

是也　（強く）だめじゃ兄ちゃん動くな！　人が見とる！

彦造　!?

すべてが是也の幻覚、幻聴なのだろう。

ラジオがリバースのような、不自然なチューニング・ノイズをたて続ける中、照り返す花火が、破裂するのではなく、しぼんでゆく。

カウンターの奥にヌッと現れたバーテンが逆再生のような意味不明の発語をする。

是也　（目の前にバーテンがいるかのように振り払うような仕草をしながら）どけ！　どけ！

いつの間にか掛け軸の前に座っていた撫子が、罵っているような言葉を是也に叫ぶが、やはり逆回転のようになっていて、何を言っているのかはわからない。

是也　俺がやったんじゃねえよ！

撫子、さらにひと言何かを言うと、壁の中へ消えてゆく。
池の方では立ち木が回転し、池から巨大な鯉がはね上がると天に向かって消えてゆく。
壁を、これも正体不明の不可解なモノが迫ってくるので、是也、悲鳴をあげながらみやげ物屋の方へ逃げる。
障子を破って何本もの手が突き出し、是也を羽交い締めにする。
是也、半狂乱で逃れると、床にうずくまった。

彦造　助造！　しっかりするんじゃ！　助造！

是也の周りに無数の、小さな虫が寄って来る。

是也　虫じゃ……！　兄ちゃん助けてくれ！　虫が集まって来た！　兄ちゃん助けてくれ！
彦造　大丈夫じゃ助造！　虫なんかおらん！　しっかりしろ兄ちゃんがついとる！
是也　もう嫌じゃ！　もう死にたい！　もう嫌じゃ！

轟音と共に是也の周囲の壁が崩壊してゆく。

是也　ああああああああ！

明かり、元に戻ると、破れた障子が元に戻っている他、そこは何事もなかったかのようで――。
床にうずくまってブルブル震える是也の肩を抱く彦造。

彦造　助造、大丈夫じゃ……兄ちゃんがついとる。大丈夫じゃ……。

外から戻って来たのだろう、座長がいる。
他にも撫子、トリコ、ネジ子、鰯、青木が、それぞれ騒ぎに何事かとやって来た風で、散在している。

座長　平気だよ……ほっときゃ落ち着く。珍しいこっちゃねえ……。
彦造　座長さん……こいつ早く病院に入れてやってください……一刻も早く病院に入れて、治してやってください……お願いします……！
座長　わかった……。

大和が医師と二人の介助人を伴って来る。

彦造　（あまりの手際の良さに）え……!?
座長　善は急げだ。

彦造　それはそうですけど……。
医師　彼ですか……。
大和　はい……。
座長　お願いします……。
彦造　（医師団に土下座して）弟を治してやってください！　とても素直で優しい奴なんです。どうぞよろしくお願いします！
医師　……。
大和　（撫子に近づくと、肩を抱き）大丈夫か……。
撫子　平気よ……あの人病気なんだもの。治してもらわなくちゃ……。
大和　うん……。
撫子　お兄ちゃん……。
大和　なに。
撫子　ごめんなさい……。
大和　え……？
撫子　夢中になる相手間違えた……。
大和　……。

この間に、是也は二人の介助人に立たされ、彦造から離れた位置に連れて行かれている。
階上から南国が来る。

南国　座長さん……。
座長　どうした……。
南国　今ベランダから見えたんですけど……初子ちゃんが、鰯兄さんとタクシーに乗って……。
座長　え……？
南国　鰯兄さんと――（そこにいる鰯の存在を確認して）え……!?
彦造　……!?
座長　夢でも見たんじゃねえかおまえ……。

同じく階上、客室の方から、ママが血相を変えてやって来る。

ママ　どうしよう……
座長　なんだどうした！
ママ　金庫が……
座長　ねえのか!?
ママ　いいえ、金庫はあったんです、お部屋のドアの前に。ですけど……お金が一銭も入ってないんですよ……！
座長　え……！

ママ　（へたり込んで）どうしよう……！

　　絶句する人々。

彦造　（初子が去った方を振り返って）……。

　　最期の花火が打ち上げられる中、明かり変わって、転換。

第四場からエピローグへの転換

彦造が初子に宛てた手紙の内容が（彦造によって）読み上げられる中、第四場からエピローグへの転換が行われる。

鈴木初子さま
はっちゃん、
僕からはっちゃんへの初めての手紙です。
はっちゃんが読んでくれるなら、これから何度だって手紙を書きます。
はっちゃんも知っているように、僕は明日から三角座の公演で長野に向かいます。朝早い出発だから寝坊しないように、今夜は寝ないつもりではっちゃんに手紙を書いてます。
それでここからが肝心要（かなめ）なのですが、この手紙ははっちゃんへのラブレターです。
はっちゃん、トリコさんに聞いたんですけど、物語の女主人公のことをヒロインと言うんだそうです。

ヒロインが泣いたり笑ったりする度に、観ている人は自分の事のように、喜んだり、悲しんだりするのだと教えてもらいました。

それを聞いてから僕は、心の中ではっちゃんのことを「僕のヒロイン、はっちゃん」って呼んでます。

「僕のヒロイン、はっちゃん」はいつも僕のすぐそばで大忙しで、何しろ大活躍です。

僕ははっちゃんをいっつも応援しています。

初めてはっちゃんと会った時からずっと、はっちゃんはとっても綺麗で優しくて、僕のヒロインです。


僕ははっちゃんに、長野で大事なお話をしようと思ってます。

念のために、手紙にもちゃんと書きます。

まず最初に、はっちゃんがとても心配してくれている弟の助造の中毒の病気のことは、座長さんと相談して良いお医者に治してもらいます。

座長さんがとても良いお医者を見つけてくれたと言うので、今度こそ治ると思います。


それから、これが一番言いたいことです。

はっちゃん、僕と結婚してください。

はっちゃんのために選んだ、指輪をもらって下さい。

はっちゃんが戦争に行ったご主人をずっと忘れられなくても、気にしたり心配したりしなくていいです。
僕はヤキモチを焼いたりせずに、思い出話を聞きます。
はっちゃんを、ちゃんと幸せにします。
お返事は、はっちゃんの好きな時で良いです。
待っています。

米田彦造

エピローグ

字幕「一年二ヶ月後　昭和三十四年　秋」

第一場とは異なる新宿の街の一角。飲み屋街である。

下手に、手前から居酒屋、バー、ホルモン焼き屋が並び、上手に居酒屋がある。

奥、やや上手寄りに高架。

夜も更けて、そろそろ店たちも閉店の準備に入らんという時刻。

下手一番手前の店の前に出されたテーブルに会社員らしき客三人（年長順にA、B、Cとする）。全員酔って上機嫌。

会社員Ａ　笑いってのはね、笑いってのはね、話し方、話し方と顔。そんなに面白くない話だって言い方と顔が面白けりゃ笑うんだから人は。
会社員Ｃ　そうですかねぇ。僕なんかあんまりおどけられるとかえってイラッときますけどね。
会社員Ａ　それはね清水ね、人間が曲がってる。
会社員Ｃ　曲がってますかねぇ。
会社員Ａ　曲がってるよな田端くん。
会社員Ｂ　ええ、（としげしげとCを見て）背骨ですかね。

会社員A　（ウケて）実際に曲がってるってことを言ってんじゃないんだよ！
会社員B　ああ。
会社員A　ああじゃないよ。おまえ清水、じゃあどういうことで笑ったよ、例えば今日。
会社員C　今日か、（と一瞬考えて）部長（A）が万頭食べながら、（Bに）ホラ、庶務の三田さんが配った、
会社員B　長嶋茂雄万頭。
会社員C　長嶋茂雄万頭食いながらお茶ひと口飲んだ時、（Aに）熱かったんですよねお茶が。（Cに）「べドゥ」って言ったんですよ部長。「あちっ」じゃなくて「べドゥ」って。（思わず再び笑いながら）あれ今日一番笑いました。
会社員A　な、曲がってるよ人間が。大火傷したんだから唇。
会社員B　（そんなことより）なんでべドゥって言ったんですか？
会社員A　わからん。反射的に出たから。
会社員B　「このお茶べドゥいぞ」って思ったんですか？
会社員A　思わんよ。思おうにもどう思えばいいかわからんよ。

店の女が少し前に伝票を手に来ていた。

店の女　ごめんなさいむつかしいお話してるところ。
会社員A　んん別にむつかしい話は――

店の女　そろそろ店閉まいなんだけどお会計――。
会社員A　ああはい。

隣のバーのドアが開き、中から青木、根岸が、二人のホステスを伴って現れ、階段を下りて来る。

ホステスA・B　どうもありがとうございました。
青木　サンキューベリマッチョ。
会社員A　清水くん、君若いんだから少し多めに払いたまえ。
会社員C　え、どうしてですか。普通逆じゃないんですか。
会社員A　（かぶせて）言ってみただけ。言ってみただけだよ。

三人、笑う。

ホステスA　（青木に）サイン飾らせていただきます。
青木　津川雅彦の隣がいいな。リクエスト。リクエスト・フォー・ユー。
ホステスA　はい。
ホステスB　来週の「スター千一夜」楽しみです。
青木　おう。

根岸　（ホステスに）あれ、斉藤さんは？
ホステスB　斉藤さんおトイレです。
根岸　（迷惑そうに）あの人いっつもそうなんだよまったく、会計前に行っとけっていうのに。
青木　（青木に）お忙しい中こんな時間までおつき合いいただいちゃってすいませんでした。
ホステスA　構わねえよ。テレビってのはネットワークが肝腎だからな。
根岸　（根岸に）最近出た色つきのテレビ五十万もするんでしょ？　エクスペンスィブ。
ホステスA　じきに安くなるよ。遅くとも東京オリンピックで一気に。
会社員B　五年も先じゃないの。（ホステスBに）ねえ。
会社員C　（Cに）おい。
会社員B　はい。
会社員C　誰だっけあいつ。最近テレビでよく見る喜劇の。
青木　ああ。
会社員A　（聞こえていて）……。
会社員C　見ろ。な清水、顔なんだよ笑いは。
会社員A　ああ。
ちょいと排尿。

会社員A、店の中へ姿を消す。
斉藤が階段上のバーのドアを開けて姿を現す。

斉藤　根岸くん。
根岸　はい。
斉藤　片岡先生。
根岸　え⁉

片岡先生と呼ばれたスター俳優がドアから姿を見せる。

スター俳優　（姿を見せて）どうも。
根岸　（驚いて）お疲れ様です！　申し分けありません気づきませんで。（と階段を上って行く）言えよキミたちも！
ホステスB　御存知なのかと思って――
スター俳優　まだ時間あるの？
根岸　もちろんです。（スター俳優に、一応、という感じで紹介し）あ、青木単一さん。
スター俳優　（知っているのか知らないのか）どうも。
青木　お疲れ様です……。
根岸　（青木に）じゃ、すみません、またスタジオで。
青木　おう、来週の放送は――
根岸　（聞かずにドアの中へと去る）

青木　……。
ホステスA　そいじゃアオタン先生、ありがとうございました。
ホステスB　（かぶせて）ありがとうございました。またいらしてくださいね……。
青木　おう。ごっつぉさん。

ホステスたち、階上のドアへ去った。
青木、会社員たちの視線を居心地悪く意識しながら去って行こうとした時、斉藤がドアを開ける。

斉藤　（どこかぞんざいに）あ、青木さん、今女の子にタクシー呼ばせますからちょいとだけそこで待ってやってください。無線番号伝えますんで。
青木　……おう。

斉藤、ドアを閉める。
青木、そこにいなければいけなくなった。

青木　……。
会社員C　こんばんは……。
青木　……うん。

会社員C　なんか面白いことやってくださいよ……。
青木　……やらねえよ……。
会社員B　こいつ来週結婚式なんですよ。
青木　へえ……。
会社員B　へえって。なんかやってやってくださいよお祝いに。お願いしますよ。
青木　やらねえっての……。
会社員B　なんだよ……つまらねえじいさんだな……。テレビ出てる人間ならちったぁサービスしろい！
青木　抜かせ！　一般庶民風情が！

青木、そう言い放つとさっさと逃げて行く。

会社員B　なんだと！

追いかけようとするBをCが制する。

会社員C　よしましょう田端さん、よしましょう！
会社員B　（さほど追おうとはせず）……。

店の女が来ていた。
会社員Aも戻って来た。

会社員A　なにどうしたの。
会社員B　なんでもありません……。
店の女　喧嘩はよくないですよ。
会社員B　すみませんちょいと腹が立って……
会社員A　よし、ごっつぉさん！
会社員B　（店の女に）こいつ来週結婚式なんだよ。
店の女　あらあら。それはおめでとうございます。
会社員A・B　（口々に）おめでとう。
会社員C　ありがとうございます。さ、明日も仕事か……。庶民は庶民で頑張りましょうよ！
ねえおばさんも。
店の女　ええ。
会社員たち　（口々に）ごっつぉさん。
店の女　毎度あり！

会社員Cが口火を切り、会社員たち、『東京の屋根の下』のサビを歌いながら去って行く。

♪なんにもなくてもよい　口笛吹いてゆこうよ
　希望の街　憧れの都　二人の夢の東京

「希望の街」の辺りで、上手の居酒屋の扉が開き、そこには店員姿の彦造がいる。

彦造　……。
店の女　(空いたグラスを片づけながら、彦造に) お疲れ様。
彦造　お疲れ様です。
店の女　お互いもう一拍だね、景気は。
彦造　ええ……。
店の女　また明日頑張りましょ。
彦造　はい……。

店の女、店の中へ——。
彦造、『東京の屋根の下』を口ずさみながら、空いた空瓶の入ったケースを抱えて店の裏手へ消える。
バーの扉が開いて、中からホステスAが姿を現す。

ホステスＡ　お待たせしました。（青木の姿が見当たらないので）先生⁉　先生⁉

返事は当然、ない。

ホステスＡ　……。

ホステスＡ、店の中へ戻って行った。

入れ替わるように、是也と撫子にとてもよく似たカップルが姿を現す。

二人は、第一場の彦造を想起させるだろう。あの時の彦造同様、手書きの地図を手にした、上京したての田舎者カップルなのである。

是也似の男　あれ……⁉

撫子似の女　またここじゃない。ここさっきも来たよ。

是也似の男　うん。なんなんだいこの地図。

撫子似の女　こんなことしてたら電車なくなっちゃうよ……。

是也似の男　おいらに言うなよ。東京は魔境だ……！

彦造、戻って来て二人を見つける。

彦造　（一瞬、二人が是也と撫子に見えたのだろう）え……!?

二人　？

是也似の男　あの、少々道をお尋ねしてもよろしいでしょうか……？

彦造　もちろん……。

撫子似の女　夜ごはん食べたお店にお財布を忘れてきちゃって。

彦造　ああ、それは大変だね……。

是也似の男　（地図を指して）ここに行きたいんです。

彦造　ここね。

是也似の男　はい。（地図上の）ここが（今いる）ここでしょうか？

彦造　いや、ここは向こうだね。

撫子似の女　こっち（と地図のある場所を指す）があっち？（とある方向を指す）

彦造　こっち（と地図のある場所を指す）はあっち。（と別の方向を指す）

是也似の男　駄目だ、まったくわからない……！

彦造　最初はみんなそうなんだよ……（「？」となっている二人に）僕も最初はそうだった。

これは地図じゃないんじゃないかとさえ思ったんだから。

撫子似の女　何をおっしゃってるんですか……？

彦造　地図なんか見ないで店の名前を言って聞いて歩いた方がいいよ。きっと誰か知ってるから。

撫子似の女　（大いに納得して是也似の男に）そうだね……。

是也似の男　うん。そうですね。
彦造　それでもとうとう見つからなかったらここに戻っといでよ。女将さんに泊めてもらえるように頼んであげるから。
二人　（ひどく嬉しく、口々に）ありがとうございます……！
彦造　じゃ。
二人　はい。
彦造　気をつけて！　仲良くね！

カップル、去って行く。
彦造、店の提灯の電球を消す。
マルさんが自転車でやって来る。

彦造　あ。
マルさん　あ。
彦造　（以下、明るく）お久し振りです。
マルさん　（以下、明らかに以前よりそっけなく）そんなに久し振りでもねえだろ。
彦造　出前ですか、こんな時間に。
マルさん　雀荘にな。いい食い扶持なんだよ。
彦造　雀荘って三角座があった通りのですか。

マルさん　んん、あそこじゃねえ。
彦造　ああ。撫子ちゃん、結婚したそうですね、小学校の先生と。暑中見舞のハガキが届きました。
マルさん　へぇ、そうなの。
彦造　他の人たちがどうしてるか知りませんか？　アオタンさんはテレビに――
マルさん　（遮って）悪いけど麺のびちまうから。（行く）
彦造　（その背に）すみません。何かわかったら教えてください……。

マルさん、行ってしまった。

彦造　……。

傷痍軍人が来る。

彦造　あっ！
傷痍軍人　（一瞬誰かわからぬが、すぐに）あっ！
彦造　まだいたんですか!?
傷痍軍人　いますよまだ。まだ当分います。え、このお店で働いてるんですか？
彦造　ええ……。

傷痍軍人　え、劇団は？

彦造　……なくなっちゃいました。

傷痍軍人　なくなっちゃったんですか……？

彦造　ええ、解散しました。去年の夏に。

傷痍軍人　そうですか……じゃ弟さんも今は辞められて……？

彦造　ええ……今、ちょいと体を悪くして病院に。

傷痍軍人　入院されてるんですか？

彦造　たいしたことないんです。きっとすぐによくなります……。

傷痍軍人　そうですか。どうぞお大事に……。

彦造　病院で台本を書いてるんです。

傷痍軍人　お芝居の？

彦造　ええ。今のところ上演のアテはありませんが、あちこち出版社をあたっているので、そのうちどこかが本にしてくれます……。

傷痍軍人　へえ。あなたが原稿を持って回ってるんですか……。いつ出るんです？

彦造　そのうちって言ってるじゃないですか！　そんなに甘いもんじゃないんです……。

傷痍軍人　(冗談めかして) 役かと思いましたよ。そんな格好されてるから。居酒屋さんの役なのかと。(笑う)

彦造　何を言ってるんですか？

傷痍軍人　……いいです。

彦造　……今、嘘を言おうと思ったんです。
傷痍軍人　はい？
彦造　「劇団は？」って聞かれた時。嘘を言おうかどうか迷ったんです。わかりませんでした？
傷痍軍人　まったくわかりませんでした。
彦造　どんな嘘を言おうと思ったか、聞きたいです？
傷痍軍人　（内心はそうでもないが）んん……はい……。
彦造　……毎日満員のお客さんで劇場に入りきらないくらいなんですよ……お客さんがあんまり笑うもんだから「笑い声がうるさい」なんて御近所から苦情がきて、僕がしょっちゅう謝りに行ってるんです。どうですか？
傷痍軍人　どうですかと聞かれても……嘘だとわかってるので、ただただ物哀しいですね……。
彦造　ちぇっ。思い出さないようにしてたのに思い出しちゃいましたよ……。
傷痍軍人　すみません……。
彦造　喜劇は素晴らしいですよ。
傷痍軍人　はい？
彦造　あなたにはわからないでしょうけど、素晴らしいんです、喜劇ってのは。
傷痍軍人　いや、ですから素晴らしいんですよ。散々そう言ったじゃないですかあの日。
彦造　劇団の人たちはみんなどこか世の中とズレてて、人当たりもよくなくて、どちらかというと他人から嫌われるような人ばかりでしたけど……僕は好きでした……三角座の

傷痍軍人　人たちみんな……。
彦造　（ハタと）あの貸本屋の女の人とはどうなったんですか。
傷痍軍人　え……。
彦造　あの戦争未亡人。キュウちゃん。
傷痍軍人　初ちゃんです。
彦造　初ちゃん。とはどうなったんですか。あなた会ったその場で口説いてたじゃないですか。
傷痍軍人　口説いてませんよ！
彦造　どうなったんですか？
傷痍軍人　……どうもなってません……。
彦造　そうですか……そうだとは思いましたが。行ってみましょうか明日にでも、あの貸本屋。
傷痍軍人　行きません。あなた暇なんですか……？
彦造　比較的。
傷痍軍人　あの貸本屋に、初ちゃんはもういません。
彦造　そうなんですか……。
傷痍軍人　ええ、いません……。

店の中から女将が出て来る。

女将　米田くん。
彦造　あ、すみません、知り合いに無理矢理話しかけられて。
女将　電話。面影書房とかいう出版社から。
彦造　え……。
女将　なんだろうねこんな時間に非常識な……。
彦造　！

彦造、飛び込むように店の中へ入って行く。

女将　（傷痍軍人に）御苦労様です。

女将、扉を閉める。
音楽。
店の中から彦造の声が聞こえる。

彦造の声　もしもしお待たせしました米田です……はい……はい……！　本当ですか⁉　ありがとうございます！
傷痍軍人　……。

傷痍軍人、ゆっくりと去って行く中――

彦造の声　弟も――助造も喜びます！　はい、ありがとうございます！　はい、明日伺えばよろしいですか⁉　いえもう何時でも！……はい……はい！　はい……！　わかりました！　ありがとうございます！　失礼します……！

店の扉が開き、満面の笑顔の彦造が戻って来る。
そこにはもう、誰もいない。

彦造　……。

彦造、ややそこに佇み、微笑んで、店の中へ戻って行く。
すでにポツリポツリと消え始めていた街の灯りの、最後の一つが消えて――。

了

左から、勝地涼、伊藤沙莉

左から、温水洋一、山内圭哉

左から、温水洋一、神谷圭介、ラサール石井

左から、緒川たまき、廣川三憲

左から、マギー、瀬戸康史、山内圭哉、松雪泰子

左から、山内圭哉、温水洋一

奥、山内圭哉
左から、千葉雄大、伊藤沙莉、大倉孝二

舞台上左から、伊勢志摩、山西惇、大倉孝二、温水洋一
舞台手前左から、神谷圭介、緒川たまき、勝地涼、山内圭哉、伊藤沙莉、犬山イヌコ、松雪泰子、瀬戸康史

奥、山内圭哉
左から、伊勢志摩、山西惇、銀粉蝶、ラサール石井

奥、山内圭哉
左から、緒川たまき、犬山イヌコ、温水洋一

左から、マギー、ラサール石井、犬山イヌコ

左から、松雪泰子、大倉孝二

左から、瀬戸康史、緒川たまき

左から、銀粉蝶、伊勢志摩

左から、瀬戸康史、千葉雄大

左から、千葉雄大、瀬戸康史

舞台写真撮影：細野晋司

あとがき

私が生まれたのは昭和三十八年（一九六三年）一月。四歳まで渋谷円山町に暮らした。父は昭和四年生まれだから、三十四歳の時の子供だ。父の昔を、私は詳しく知らない。母のことも。ふたりがいつどのようにして知り合ったのかも知らない。そしておそらく、この先も知ることはない。ふたりが出会ったとき、父はジャズ・ミュージシャンだったはずだ。昭和五十年代、病に倒れるまでウッドベースを弾いていた。若い頃は随分稼いだと想像する。進駐軍のキャンプで演奏していたらしいから。昭和二十年代後半には、日本中がジャズ・ブームに湧いたから、鳴かず飛ばずのジャズマンだった父でも、それなりの収入はあったのではないか。ジャズコンと呼ばれたジャズの演奏会の司会者で一番人気だったのは、進駐軍のキャンプで頭角を表したトニー谷だった。きっとその頃に知り合ったのだろう、父の周りには、音楽家と共に、喜劇俳優が多くいた。ジャズ屋とコメディアンが一緒にいるのは、とても自然なことだったように思う。

なにしろ四歳までの記憶だ。鮮明ではない。度々父と雀卓を囲んでいるオジチャンの中に、森川信が、田中淳一が、由利徹が、泉和助が、空飛小助がいた。テレビでしょっちゅう顔を見る人もいれば、そうでない人もいた。中学生の頃、後追いで様々な情報を得た。森川さんと田中さんが師弟関係だったことや、泉さんと空飛さんが日劇ミュージックホールのレギュラーだったこと。父もミュージックホールで演奏していたのだろうか。何もわからない。どうして聞いておかなかったのか、まったく悔やまれる。

私の記憶の中の彼らは、テレビや映画で観る彼らと、だいぶ印象が違う。田中淳一さんだけはいつもニコニコしていたが、あとの方々は、赤ん坊の私に愛想をふりまくでもなく、ぶっきらぼうな印象だった。どちらかと言うと、怖かった。不気味だった。そんな人たちが、仕事となると、どうしてあんなにも愉快な人物に変貌するのだろうか。何が彼らをそうさせたのか。そんな興味を抱いたのも、中学生になってからのことである。中一だか中二の時に、小林信彦氏が中原弓彦名義で著した『日本の喜劇人』を読んだことが、ひとつのきっかけだった。その時、すでに森川さんと泉さんは鬼籍に入られており、田中さんも私が中二の時に亡くなった。森川さんは還暦で、泉さんは五十歳で、田中さんは五十五歳で。揃いも揃って早世である。昭和の喜劇人には、破天荒な生活が祟ってなのか、五十代で亡くなる人が多かった。(何故か、やはり破天荒な生き方をしてる人が多かったはずのジャズマンは、平均して、喜劇人より長命だったと思う。まったく地味に生きた私の父は五十九で亡くなったが。現在の私の年齢である。)

『世界は笑う』は、幼い頃見た、あの人達の眼差しを紐解いてみたい、そんな思いが書かせた芝居だ。二十年以上、「いつか、もっとオトナになったら書こう」と思い続けてきた。二〇一六年にはツイッターでこんなこともつぶやいている。

「日本の喜劇人とその周辺を描いた舞台はいつか作りたいと思いながらもう二十年が過ぎた。描かれるのは喜劇人でも、コメディにはしない方がよくはないかという思いがずっとある。ここまで引っ張ったらもう還暦過ぎてから書こうかとも。生きてたら。」

還暦前に書き上げ、上演することができた。コメディなのかそうでないのか、書いた自分もまだよくわからない。客席は、とくに一幕は湧いてくれている。もっとも、二幕は、読んで頂ければわかるように、一幕から大きく転調し、呑気に笑ってばかりいられるようなムードには描いていない。


物語は昭和三十二年の秋に始まり、二年後、三十四年の秋に終わる。書くにあたっての時代考証は、もちろんそれなりに調べてはいるものの、故・井上ひさし氏のような厳密さはない。（わざわざここで名前を挙げるのは、氏が浅草フランス座で渥美清と同時代を過ごした人だからでもある。）わかっていながら嘘をついているところも多い。昭和三十三年に渥美清は丸の内に進出してなんぞいないし（一〇四頁）、若き日のトーキーとネジ子が、旅館の男に頼まれて、色紙にマジックインキでサインする場面（ネジ子の回想シーン）があるが、太平洋戦争開戦前であろうこの時代には、まだマジックインキなんてものは無い（一九七頁）。トーキーはノリツッコミをネジ子に採点されるが、昭和三十二年には、ノリツッコミは、少なくとも定番のスタイルとしては存在しなかった（八三頁）。等々。

戯曲冒頭に記した通り、観客の多くに「こんな風だったのかな」と思わせられればそれで良いのだ。

というわけで、またひとつ、長く温めていたビジョンを形に出来てしまった。大変喜ばしいことでありながら、寂しくもある。こんなに長引くとは思ってもみなかったコロナ禍での、過酷な現場だった（稽古中に複数の感染者が出たり、発熱者などが確認されると、それだけで稽古自体への参加や遂行が不可能になったり、そんなことが続き、結局、充分な稽古時間を確保するために、開幕を当初の予定より四日間遅らせてもらった。誰ひとり、悪くない）けれども、素晴らしいスタッフとキャストに恵まれ、楽しく充実した日々を過ごさせてもらっている。公演に尽力してくれているカンパニー全員と、関係各位に深く感謝。こうして戯曲本として刊行してもらえるのも、まったく幸運だ。論創社の森下さんにも心より感謝。こんな時期に観に来てくれているお客さんと、この本を買ってくれた貴方にもかなり感謝。なにより、すべての日本の、いや、この際、世界の喜劇人に、最上の謝意を。

令和四年八月

ケラリーノ・サンドロヴィッチ

◇上演記録

COCOON PRODUCTION 2022 + CUBE 25th PRESENTS,2022
「世界は笑う」

【公演日時】
2022年
東京公演　8月7日（日）～8月28日（日）　Bunkamuraシアターコクーン
※新型コロナウイルス感染症拡大の影響を受け、一部公演中止・8月11日開幕に延期
京都公演　9月3日（土）～9月6日（火）　京都劇場

【配役】（登場順）
秋野撫子……伊藤沙莉
大和錦……勝地涼
麻薬売人……山西惇
有谷是也……千葉雄大
青木単一（アオタン）……温水洋一
斉藤……ラサール石井
根岸……神谷圭介
山吹トリコ……緒川たまき
川端康成……廣川三憲
傷痍軍人……山内圭哉
電器屋の店主……山西惇
米田彦造……瀬戸康史
洋服屋の店員……犬山イヌコ
洋服屋の店員……伊勢志摩

貸本屋を訪れる男……廣川三憲
鈴木初子……松雪泰子
貸本屋の女将……銀粉蝶
マルさん……マギー
貸本屋の客……山西惇
洋服屋の店長……山西惇
多々見鰯……大倉孝二
山屋トーキー……ラサール石井
野本ケッパチ……神谷圭介
服部ネジ子……犬山イヌコ
ママ……伊勢志摩
森南国……山内圭哉
蛇之目秀子……銀粉蝶
座長……山西惇
記者……廣川三憲
記者のアシスタント……伊勢志摩
バーテンダー……廣川三憲
旅館の番頭……マギー
多々見走……大倉孝二
医師……廣川三憲
介助人……マギー
介助人……神谷圭介
会社員A（部長）……大倉孝二
会社員B（田端）……山西惇
会社員C（清水）……勝地涼
店の女……犬山イヌコ

ホステスA……緒川たまき
ホステスB……伊勢志摩
スター俳優……廣川三憲
是也似の男……千葉雄大
撫子似の女……伊藤沙莉
居酒屋の女将……銀粉蝶

脱線トリオ（映像出演）……長谷川朝晴
坂田聡
六角慎司

【スタッフ】
作・演出：ケラリーノ・サンドロヴィッチ

音楽：鈴木光介
美術：BOKETA
照明：関口裕二
音響：水越佳一
映像：上田大樹
衣装：伊藤佐智子
ヘアメイク：宮内宏明
振付：スズキ拓朗
振付助手：池田仁徳
演出助手：相田剛志
舞台監督：福澤諭志

京都公演主催：ＡＢＣテレビ
サンライズプロモーション大阪
企画・製作／東京公演主催：Bunkamura、キューブ

ケラリーノ・サンドロヴィッチ

劇作家、演出家、映画監督、音楽家。1963年1月3日生まれ。
1982年ニューウェイヴバンド「有頂天」を結成。またインディーズ・レーベル「ナゴムレコード」を立ち上げ、70を超えるレコード、CDをプロデュースする。並行して1985年に「劇団健康」を旗揚げ、演劇活動を開始、1993年に「ナイロン100℃」を始動。1999年『フローズン・ビーチ』で第43回岸田國士戯曲賞を受賞、現在は同賞の選考委員を務める。演劇活動では劇団公演に加え「KERA・MAP」、「ケムリ研究室」などのユニットも主宰。2018年秋の紫綬褒章を受章。ほか、各種演劇賞受賞歴多数。音楽活動ではソロ活動の他、2014年に再結成されたバンド「有頂天」、「KERA & Broken Flowers」でボーカルを務める。鈴木慶一氏とのユニット「No Lie-Sense」等、各種ユニットでライブ活動や新譜リリースを精力的に続行中。

◉この作品を上演する場合は、必ず、上演を決定する前に下記メールアドレスまでご連絡下さい

上演許可申請先：株式会社キューブ
E-mail webmaster@cubeinc.co.jp
TEL 03-5485-2252

世界は笑う

2022年 9 月 1 日　初版第 1 刷印刷
2022年 9 月10日　初版第 1 刷発行

著　者　ケラリーノ・サンドロヴィッチ
発行者　森下紀夫
発行所　論 創 社
東京都千代田区神田神保町 2-23　北井ビル
電話 03（3264）5254　振替口座 00160-1-155266
装丁　はらだなおこ
組版　加藤靖司
印刷・製本　精文堂印刷
ISBN978-4-8460-2214-3